あなたは今、どうやってこの本を手に取りましたか？
どこに住んでいますか？
好きな食べ物は？　好きな動物は？　趣味は何でしょう。

これを読まれている方は、たくさんいらっしゃるでしょうが、
この質問にすべて同じ答えを出すことは、まずないでしょう。

つまり、この世界に生きる人々は
「みんな違う」のです。

そんなの当たり前だ！と思われるかもしれませんが、
みんな違うからこそ、物事の見え方や感じ方、考え方も異なります。

それにも関わらず、我々はいつからか
「こうあるべきだ」「これが正しい姿勢なんだ」
といったひとつの考えにとらわれ、自ら苦しんでしまうもの。

だからこそ、
自分の考えが本当に正しいのか
吟味する、哲学が必要なのです。

哲学というと、説教臭いとか、
理想を押し付けるものだと思われがちです。

ところが実際はその逆で、哲学とは
「本当にこれが正しいのか？」
「そもそも正しいことなんてあるのか？」
と、思い込みを破壊し、新しい概念をつくりあげる学問なのです。

だからこそ、本書では、
一方的に哲学の考え方を説明するのではなく、
現代人が哲学者とディベートするという形式をとりました。

扱っているテーマはどれも、
まさに現代を生きる人々が気になるものばかりなので
きっと身近な生活に役立つはずです。

読み進めるうちに
「そうそう、それが言いたかったんだよ！」と思うことも
あれば、**「そんな言い分もあるのか！」**と意外な発見をする
こともあるかもしれません。

そうやって様々な意見を見ていくうちに、
あらゆる物事に多様な見方があることがわかり、
生きるうえでのヒントになることでしょう。

「今考えていることも、
もしかしたら思い込みなのかも？」
そんな風に考えることができるようになれば、
日常の行き詰まった問題解決にも役立つかもしれません。

本書が、人類の歴史を動かしてきた叡智に、
多少なりとも触れるきっかけになればと思います。

それでは、早速始めていきましょう。

本書作成にあたりご協力いただいた
スタッフの方々、ひろゆきさまなど、
皆さまに感謝申し上げます。

なぜ哲学×ディ

Understanding Philos

哲学とディベートは意外にも相性がいい!?

ディベートといえば、**激しく議論したり、反論したり**するイメージがあるかと思います。もしかすると、「ちょっと怖い」とか「哲学と関係あるの？」と思う人もいるかもしれません。しかし**哲学とディベートには意外にも相性のよさ**があるのです。

かの有名な哲学者ソクラテスは、真理を追求するにあたって**問答法**という方法を取りました。これは相手をひたすら質問攻めにする方法で、「**こういう場合はどうなの？**」「**それって違くない？**」と追求することで、人々に無知を自覚させるという目的がありました。これは**まさに今日のディベートのようなもの**です。**答えが明確でない問いについて「ああでもない」「こうでもない」と吟味する哲学は、実はディベートと非常に相性がよい**のです。

哲学の最前線でも「ディベート」が活かされている

哲学とディベートの相性のよさを示すもう1つのエピソードに、マイケル・サンデル教授の講義があります。ハーバード大学で政治哲学を教える同教授は、講義の中でディベートを用いています。ここでは、あるテーマについて肯定的・否定的な立場から意見を述べ、途中で立場を入れ替えるという特徴があります。このように**双方の立場から考えることで、新たな発見を得ることができる**のです。

本書もまた、ディベートという形式をとることで、「**ただ哲学者が教えを説いて終わり**」ではなく、**現代人と哲学者の双方の立場から読める**という特徴があります。現代人に共感したり、哲学者の意見に「なるほど」と思ったりしているうちに、様々な観点から物事を見る練習になることでしょう。

ベートなの？

ophy through Debate

誰もが気になるテーマについて、「ディベート」でとことん〈哲学〉できる

本書では、かつての哲学者たちがそうしてきたように、あるテーマについて現代人が疑問をぶつけ、果敢にディベートに挑みます。

「さとり世代みたいに人生『そこそこ』で生きるのはアリ？」
「政治に興味がないのってダメなこと？」
「勝ち組に入ることって大事？」
「人生は『親ガチャ』で決まる？」
「現代の資本主義には問題がある？」

そんな**現代人なら誰でも感じるモヤモヤを、もしも歴史上の哲学者にディベートでぶつけたらどうなるのか？**　本書は、そんな視点で描かれています。※

身近で気になる問題を通して哲学の考えに触れられるので、きっと生活の中でも自ら哲学的に考える機会になることでしょう。

ぜひ本書を使って、**「哲学を知る」だけでなく「哲学をする」きっかけに**してみてください。悩みながら生きる人は誰でもみな、立派な《哲学者》なのですから―。

本書の主な登場人物

- **現代人**――気になるテーマを掲げ、ディベートに挑みます。
- **哲学者**――現代人に対して、哲学的知見からディベートに応えます。
- **実況・解説**――ディベートの内容を補足・解説します。

※本書は「もしも現代的なテーマを哲学者とディベートしたら？」という設定のため、哲学者が実際に語っていたテーマを超えたトピックに言及する部分がございます（「この哲学者なら、おそらくこう答えるだろう」という推測に基づき記載しています）。

CONTENTS

第1章　生き方

Way of Life

第2章 社会

Society

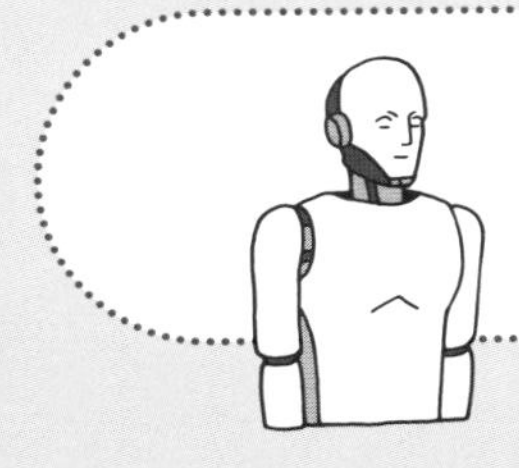

第3章 未来

Future

終章

●巻末シート●

Way of Life

第1章

生き方

Understanding Philosophy
through Debate

THEME 01

現代人

さとり世代

哲学者

ニーチェ

ABOUT NOT TRYING TOO HARD

「そこそこ」で生きるのは悪いこと?

省エネで生きていくのもひとつの生き方だと思うのですが…

さとり世代より

昔は「仕事も遊びも全力で」という考えもあったようですが、僕はあまりそうは思いませんね…。

現代では仕事で頑張ったところで報われないことも多いですし、遊びに興じたところでどうせそのうち飽きてしまうでしょう。**この世に絶対的に価値があるものなんてないのに、何かに打ち込むなんてコスパ悪い**ですよ。

こんなことをいうと、上の世代からは「無気力だ」と怒られるんですがね。多くは望まず、省エネで無理せず生きていく…そんな生き方もアリだとは思いませんか？

彼の意見は、けっこう私の考えと通ずるところもあるね。私もまた彼と同じように「**絶対的な価値観などもはや存在しない**」と説いたんだ。

だが、本当にそこで終わっていいのか？
それこそが私の主張の核なんだ。ぜひ彼と話してみたいものだね。

THEME 01

「そこそこ」で生きるのは悪いこと？

NO

さとり世代

VS

YES

ニーチェ

ROUND 1 START!

「『そこそこ』のなにが悪いんですか？　今の世界を見れば、ムダにエネルギー使って生きる意味なんかないのは当然でしょう…。もう定時なんで帰っていいですか？」

「まぁまぁ、ここは会社ではないのだから待ちたまえ。君はなぜそう思うんだい？」

「ニーチェさんはご存じないかもしれませんが、今の日本はもう仕事で頑張っても報われるとは限らないんですよ。趣味に生きたところで、いつか飽きちゃうかもしれない…。**この世に絶対的に信じられるものなんてない**んだから、一生懸命なにかに打ち込むなんて、コスパが悪いんですよ。」

「ふむ…確かにそうかもしれない。『この世界に絶対的に信じられるものがない』、それは私も同感だよ。」

「え？　そうなんですか？」

「そうとも！　少し聞いてくれ。昔から、人々は神のような**絶対的存在**を信じていたのだ。ただな、それは神を信じていると自分に力が湧いてくるから、そう信じたかっただけなのだよ。」

「人間は、自分が信じれば力が持てることを信じたいものだ。その意味では、神なんて最初っからいなかったんだよ。これを私は**『神は死んだ』**と表現したのさ。いわば君のような考えの先駆者というわけだ。」

☑ KEYWORD　神は死んだ

ニーチェは、神に代表されるような、これまで絶対的だと思われていた価値観は、人間の欲望によってつくり出されていたのだと唱えた。
この考え方は、**「世界には神という最高の価値がある」**という西欧のキリスト教文化圏の価値観に大打撃を与えた。

「あれ？　それってつまり、僕の考え方はニーチェさんと同じだということですよね。だって、世界には**絶対的な価値観**がないということですから。」

「まぁ、そこに異論はないよ。君は私が広めた**ニヒリズム**の思想をもっているのだね。」

☑ KEYWORD　ニヒリズム

絶対的な存在がこの世界に存在しないということは、神などの**絶対的価値観**も存在せず、**精神的なよりどころとなる人生の答え**もない。これをニヒリズムという。ニヒリズムにおいては、すべての価値観は崩壊するので、人間は意味も目的もない人生を送ることになる。

「確かに**ニヒリスト**なんて言い方がありますよね。**なにかに期待したせいで、それが叶わないと自暴自棄になってしまう人**もいます。だったら、最初からなにも期待せず、『そこそこ』で生きていたほうがまだマシじゃないですか？」

実況　「知ってか知らずか、さとり世代さんはニーチェさんの考え方に通ずる部分があるようで、説得力がありますね。」

解説　「そうですね。ニーチェさんの哲学はキリスト教の価値観に大打撃を与えたわけですが、日本は最初からキリスト教国家ではないので、『絶対的な価値観』など意識しない人が多いのかもしれません。ありのままにあることを受け入れるのが、古くからの日本の思想ですからね。」

実況　「なるほど。もともとニヒリズム的な悟りを開いているさとり世代は、『神は死んだ』的な価値観と相性がいいのかもしれません。さあ、両者のニヒリズム的な対決は、どのようなゆくえをたどるのでしょうか。」

ROUND 1 JUDGE!

ROUND 2 START!

「私は単に『神は死んだ』といったわけじゃない。それに対して、ちゃんと対処法も説いているんだよ。気になるのは、君の『そこそこ』で生きていければいいというところだ。君自身、本当にそういう人生でいいと思っているのかね？」

「そうです。『そこそこ』で生きることこそが、無意味な人生を楽に乗り切っていける最良の方法です。」

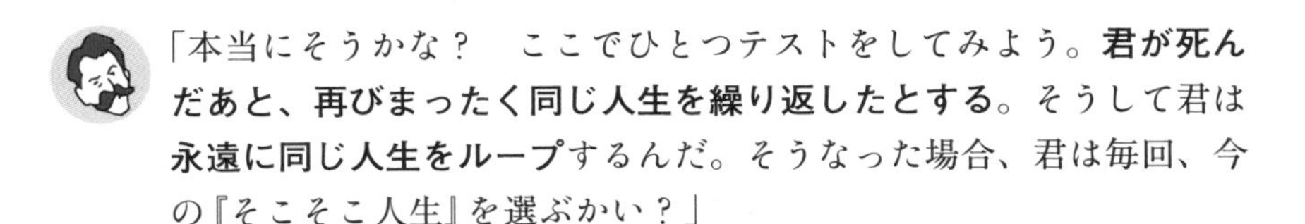

「本当にそうかな？　ここでひとつテストをしてみよう。**君が死んだあと、再びまったく同じ人生を繰り返したとする**。そうして君は**永遠に同じ人生をループ**するんだ。そうなった場合、君は毎回、今の『そこそこ人生』を選ぶかい？」

「ええ、なんですかその設定!?　人生をもう一度繰り返すなら、金持ちイケメンに転生して無双したいんですけど…。」

「まぁ誰しもそう思うだろう。しかし、もう一度いうが、これは君自身の今の人生について見つめ直すための一種のテストなんだ。考えてみてくれ。」

☑ KEYWORD　永遠（永劫）回帰

ニーチェは、この世界が何度もまったく同じ形で、寸分の違いもなく繰り返されるという一種のモデルとして「永遠回帰」を提示した。この考え方では、**自分自身も地球も宇宙も同じことを永遠に繰り返す**とされた。「永遠回帰を肯定できるか否定するのか」を考えることは、「自分の人生全体を肯定できるのか、否定するのか」が問われるという、一種のテストになる（**これは永遠回帰の解釈のひとつである**）。

「今の人生が永遠に何度もループするんですか…それは嫌かもですね。」

「**何度もこの人生を繰り返したくないということは、君が『この人生の過ごし方がベストではない』と自覚している**ということにならないかね？」

「それは…そうかもしれませんが…。」

「実はニヒリズムの捉え方には２つの方向があるんだ。ひとつは**消極的ニヒリズム**。もうひとつは**積極的ニヒリズム**だ。君のは、消極的ニヒリズムだね。それだと、ずっと人生を投げやりに過ごすことになるが、本当は君もそれを望んでいないのではないか？」

☑ KEYWORD　積極的ニヒリズム・消極的ニヒリズム

ニーチェは、ニヒリズムには「積極的」なものと「消極的」なものがあるとした。無意味な人生を肯定的に受け入れれば積極的ニヒリズムとなり、投げやりな人生だと捉えれば消極的ニヒリズムとなるという。

実況　「ニヒリズムには、それをどう解釈するかで、積極的な方向と消極的な方向があるようですね。しかし、人生は無意味であるということを受け入れるのが、なぜ積極的になるのかはまだわかりませんね。」

解説　「そうですね。その鍵は、ニーチェさんが握っているようです。」

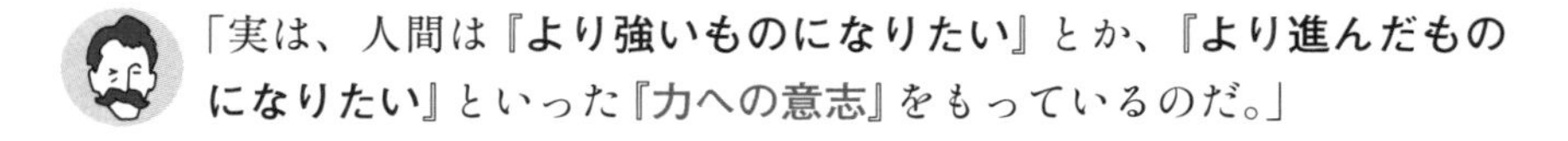

「実は、人間は『**より強いものになりたい**』とか、『**より進んだものになりたい**』といった『**力への意志**』をもっているのだ。」

「力への意志…ですか。でもさっきもいいましたが、今の世の中ではそんなものもったところで裏切られるだけで…。」

「それだよ！　人間は、**力への意志**（より高い価値を生み出そうとする意志）に従って、より強いものになろうとする。しかし、現実的には挫折することが多い。そこで、こう考えるのだ。『**本当の自分は優れているのだが、社会が悪くて実力が発揮できない**』とか『**本当の自分は、今の環境でなければもっとよいポジションにいる**』とかね。」

「要するに、**現実で挫折すると、それに理由をつけて正当化し、想像のなかで勝とうとする**のだ。これをルサンチマン（**怨恨感情**）というんだよ。」

☑ **KEYWORD　ルサンチマン（怨恨感情）**

ニーチェは、キリスト教の「貧しき者は幸いである」「苦しむものは天の国へ入る」といった考え方は、実は弱者が強者に勝つために価値観を捻じ曲げているのだと唱えた。ニーチェによると、こうした弱者から強者へのルサンチマン（怨恨感情）によって、キリスト教に限らず、あらゆるところで道徳が捻じ曲げられ、善悪の基準として働くという。**「貧しい自分は善で、金持ちのあいつは悪だ」**といった考え方がその代表例であり、ニーチェはこうした考え方を「奴隷道徳」と呼んだ。

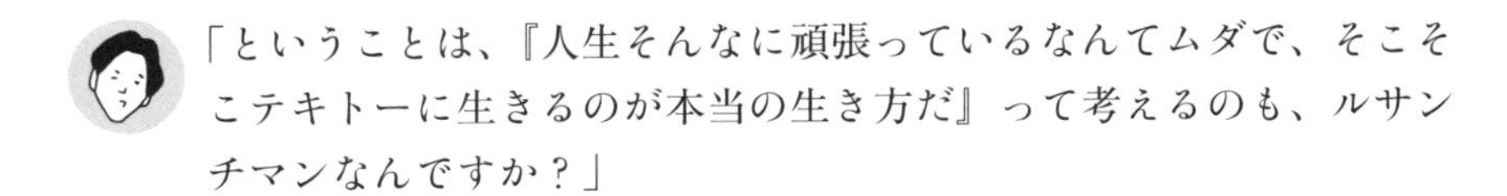

「ということは、『人生そんなに頑張っているなんてムダで、そこそこテキトーに生きるのが本当の生き方だ』って考えるのも、ルサンチマンなんですか？」

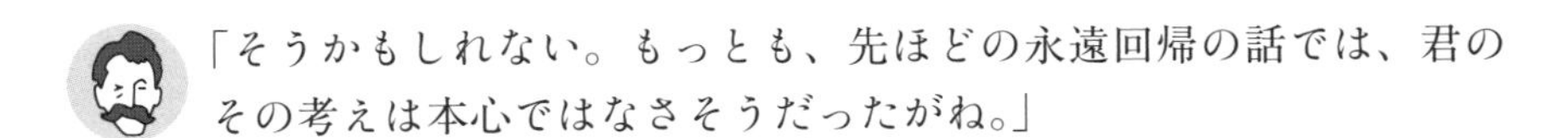

「そうかもしれない。もっとも、先ほどの永遠回帰の話では、君のその考えは本心ではなさそうだったがね。」

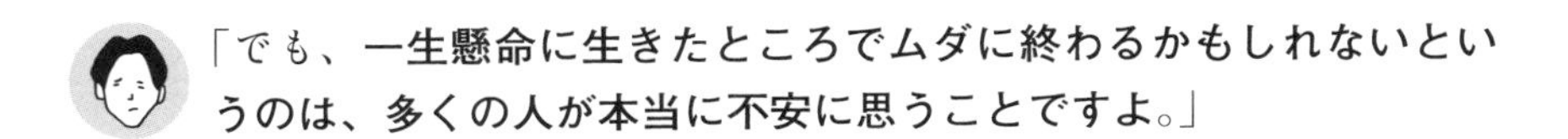

「でも、**一生懸命に生きたところでムダに終わるかもしれないというのは、多くの人が本当に不安に思うことですよ。**」

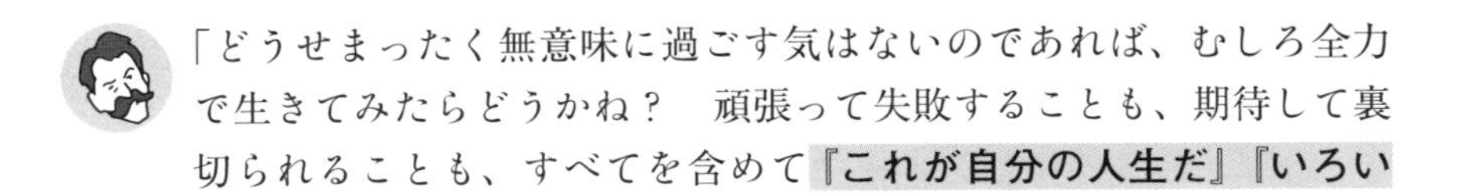

「どうせまったく無意味に過ごす気はないのであれば、むしろ全力で生きてみたらどうかね？　頑張って失敗することも、期待して裏切られることも、すべてを含めて**『これが自分の人生だ』『いろい**

ろあったが、この人生をもう一度やり直すのも悪くない』と思えるように全力で生きるほうが、むしろいいのではないか？」

「そうでしょうか…そんなふうに生きたところで、大半の凡人はなにもなしえずに死んでいくんですよ。それこそニーチェさんと違って。」

「いやいや、私なんて世間から見向きもされとらんよ。親友の音楽家（ワーグナー）とは決別だし、妹と喧嘩して険悪だし、恋する人に振られるし、書いた本も売れとらん…。」

「ええ、そうなんですか？　なかなかハードな人生ですね。僕より大変かも…。」

「そうさ。あまり知られておらんがね…。だが、私は、たとえつらいことがあっても、**今この瞬間を肯定することが大事なのだ**と思う。君は、『この瞬間だけは肯定できる』という経験はなかったのかい？」

「えぇ…？　まぁ小さいころとかは、あったような…。」

「ほうほう！　聞かせてくれ。」

「僕…ピアノを習ってたんですけど、はじめてコンサートで弾きたい曲をちゃんと演奏できたときは、嬉しかったかも…。僕よりうまい人なんてたくさんいたんで、やめちゃいましたけどね。」

「いいじゃないか。大人になるとみな、失敗や人の目を恐れるようになる。しかし、**あらゆる失敗や挫折をしたとしてもいいと思って、すべてを肯定する**のだよ。人間は、そうやって力強く生きるべきなんだ。」

☑ KEYWORD　超人

ニーチェは、最高の価値としての「神は死んだ」ので、**人間自身が神になって新しい価値を創造する**しかないと考えた。そして自ら価値を創出する存在を「超人」と表現した。この超人とは未来に出現する存在であり、人間は超人を理想としながら、逆境をものともせず、むしろ逆境を肯定して力強く生きるべきだと唱えたのだ。

「なるほど…。もっとうまい人がいようが気にせず、ただ夢中でピアノを弾いてるだけでもよかったのかな…。」

「そうとも！　私だって本はまったく売れていなかったが、おかげで今日こうして君と話せたんだ。今の瞬間がどんな状態であれ、自ら価値を創造して積極的に生きていこうじゃないか。」

ちなみに　ニーチェは『ツァラトゥストラはこう語った』を著したが、これはまったく世間から認められなかった。後にニーチェは発狂したが、それに反して、徐々に名声が高まっていった。リヒャルト＝シュトラウスによる交響詩『ツァラトゥストラはかく語りき』も、この書籍にインスピレーションを受けて作曲された。

実況　「失敗も含めて人生を肯定するというのは、なんだか勇気が湧いてくる内容ですね。」

解説　「そうですね。『どうせうまくいかないんだから』と考えるよりも、『それも含めて自分の人生だ』と受け入れることこそが、積極的なニヒリズムといえるのでしょう。」

ニーチェの哲学

たとえ苦しみが繰り返されても、それさえ肯定して生きよう

フリードリヒ・ニーチェ（1844〜1900）…ドイツの哲学者。生の哲学。著作『ツァラトゥストラはこう言った』など。

EXPLANATION

それまでの哲学をまるごと論破した男、ニーチェ

ニーチェは、それまでの哲学を全部ひっくり返してしまうような、新しい思想を説きました。**それまでの哲学では、「絶対的・普遍的真理」を追求することが主流**でした。しかしニーチェの考え方はこれを否定するもので、「**この世に真理などない。人々は自分が信じたいことを真理と思っているだけだ**」と暴露し、これを「神は死んだ」と表現したのです。「**唯一絶対の価値観が存在しない**」となれば「物事に本質的な価値はない」ことになり、世界に意味も目的もありません。このような考え方を**ニヒリズム**といいます。しかし、キリスト教が絶対的な価値観とされていたヨーロッパでは、こうした考えは当初ほとんど受け入れられませんでした。

相対主義を進化させたニーチェの考え方

ニーチェは、ギリシア哲学以来の**相対主義**（132ページ参照）に、さらに**遠近法**（パースペクティブ）の考えを取り入れました。そして、「**人は自分にとって見たいものを見ており、自分が力強く、気分よく生きられるようなものを、『正しい』と信じ込んでいる**」と唱えたのです。これは、単に「人によってものの見え方が異なる（人それぞれ）」といっているのとはひと味違います。

ニーチェは、このようになにかを「正しい」と解釈させる力を「力への意志」と呼びました。これは、**今の自分を乗り越えて、より力強い存在になりたいという根源的な意志**なのです。

絶対的な価値観がないなら、自分でつくればよい

人間のあらゆる思考や言動は、なんらかの**基準**や**価値評価**というフィルターを通過した後に出力されたものです。これは道徳的な言説であっても、学問的な言説であっても同じことです。ですから、**「なにが道徳的に正しいか」は時と場合で変わりますし、「なにが学問的に正しいか」も、人間の認識や解釈の仕方でわかれる**ことがあります。しかし、ニーチェは「なにも正しいことなどない」というニヒリズムと対峙して、これを克服しようとしました。**「最高の価値・目的が存在しない」ならば、人生に自ら新しい価値を与えればよい**わけです。これは、「絶対的な価値がないから、なにもやる気が起きない」というような「**消極的ニヒリズム**」とは異なり、「**積極的ニヒリズム**」と呼ばれるものです。

「超人」を目指して力強く生きよう！

ニーチェは、**自ら価値を創出するような人間になろう**と呼びかけます。これを彼は「**超人**」と呼びました。超人はいかなる逆境にも負けず、むしろ逆境すら肯定して生きていきます。ニーチェは「**苦しみも含めて、人生が何度も繰り返される**」という永遠回帰の考え方を示し、それでも強く生きる人間の登場を期待したのです。

人生のすべてを肯定する思想を追求したニーチェは、後にその価値が認められて、現代の思想に大きな影響を与えたのでした。

THEME

02

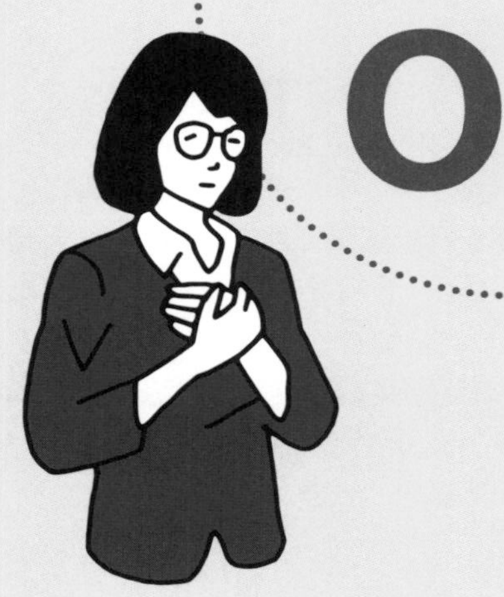

現代人

ことなかれ主義者

哲学者

ヘーゲル

ABOUT AVOIDING CONFLICTS

ことなかれ主義はよくないことか?

波風を立てずに生きたいだけなんです…。

ことなかれ主義者より

私は両親がよくケンカしてたので、小さいころから人の顔色をよく窺う性格になりました。**人と争うのはなるべく避けたい**と思うのは、そのためかもしれません。

社会人になってからも、仕事のことで言い合いになっている人を何人か見ましたが、みんなよくやるなぁと思います。

自分の意見をハッキリいえる人もすごいとは思いますが、だいたいそういう人は軋轢(あつれき)を生んで、周りの人にストレスを与えるものです。私の両親のように…。そういう意味で、ことなかれ主義も悪くはないと思います。

「ことなかれ主義」で無事にすめばいいのですが…。

私の唱えた「**弁証法**」では、「**むしろ我々は矛盾や対立をへて高まるものだ**」と捉えています。しかもこれは、ありとあらゆる所で働いているルールです。ぜひ、この弁証法の考え方を知ってもらいたいですね。

THEME 02

ことなかれ主義はよくないことか？

NO

ことなかれ主義者

VS

YES

ヘーゲル

ROUND 1　START!

「ことなかれ主義でなにが悪いんでしょう？　現代では余計なことをして目立ち過ぎると、妬まれたり、炎上したりして大変です。**人生のリスクを避けるには、何事も穏便に済ませて、ことなかれ主義で生きていくのもありだ**と思います。」

「それができればいいんですがね…。おそらく何事もなく、穏便に済ましていくことはできないでしょう。**いくら自分が穏便に済まそうと思っても、争いごとは降ってくる**ものです。なににも巻き込まれずに生きていくのは難しいものですよ。」

「そうでしょうか？　波風が立たないように生きていれば、巻き込まれるのを防ぐことはできると思います。」

「そうとも限りません。ご存知の通り、世界は絶えず変化するものですから、当然それによっていろいろなことが起こります。哲学ではこれを『**現象**』といったりします。」

「それが、ことなかれ主義で生きていくこととなにか関係があるんですか？」

「それがあるんですよ。変化が生じるときには、矛盾が発生するものです。そうすると、なにかのトラブルが発生することがあるでしょう。」

「つまり、**変化のある現象の世界で生きている以上、あなたが穏便に済まそうとしたとしても、なにかしらの矛盾・対立に巻き込まれることは避けられない**のです。今までの人生を振り返っても、なんのトラブルにも遭っていないということはないでしょう。これは**世界の法則**なので、避けようがないのです。」

「確かにトラブルが起きること自体は避けられないかもしれないですね。**でもそれに対して、個人が主体的にどう向き合うかは選べるはず**です。ことを大きくしないためにも、私はやっぱり穏便に済ませるほうを選びたいです。」

実況 「ここは両者譲らずですね。ヘーゲルさんの反論に『世界の法則』という言葉が出てきました。これはなんなのでしょう？」

解説 「この言葉が意味するのは、人生はトラブル続きですが、これには法則があり、避けることはできないということですね。ヘーゲルさんの哲学の中心ともいえそうです。」

実況 「確かに、世界が変化していく以上は、それに伴ってなにかの軋轢が生じますからね。ただ、それに対して穏便に対処したいという主張もわかりますが…。」

ROUND 1 JUDGE!

ROUND 2 START!

「ところが、トラブルが起きても穏便に流すのが難しいんですよ。」

「どうしてですか？」

「まず、先ほどお伝えしたように、世界には**『矛盾』**や**『対立』が起こりますね**。ささいなことから、重大と思えることまですべてです。」

「このように、**ある安定した状態から矛盾が明らかになってくると、それらの対立からいいところが融合して、より高次の状態になる**のです。そうやって矛盾を経て、より高次の真理へ向かっていくことを**弁証法**(べんしょうほう)といいます。これはあらゆる物事にいきわたっている論理法則なので、これを避けることはできません。」

☑ **KEYWORD　　弁証法**

弁証法とは、**ある立場（正・即自）に対して、それと矛盾対立する事態（反・対自）が生じたとき、両者（正・即自と反・対自）がともに保持されつつ、より高い次元（合・即自かつ対自）に発展（止揚）していく論理**である。これは、「つぼみ（正）が花（反）になり、その後、実（合）になる」などの自然的な諸現象から、意識、法、歴史などにいたるまで、あらゆる物事を支配している論理とされた。

「ちょっとよくわかりませんね。できるだけ動かないようにすれば、その弁証法の働きも生じないんじゃないですかね？」

「弁証法はあらゆる物事で起こり得ます。その辺を歩くのだって弁証法が発生しますよ。」

「その辺を歩くのも…？　それのどこが弁証法なんですか？」

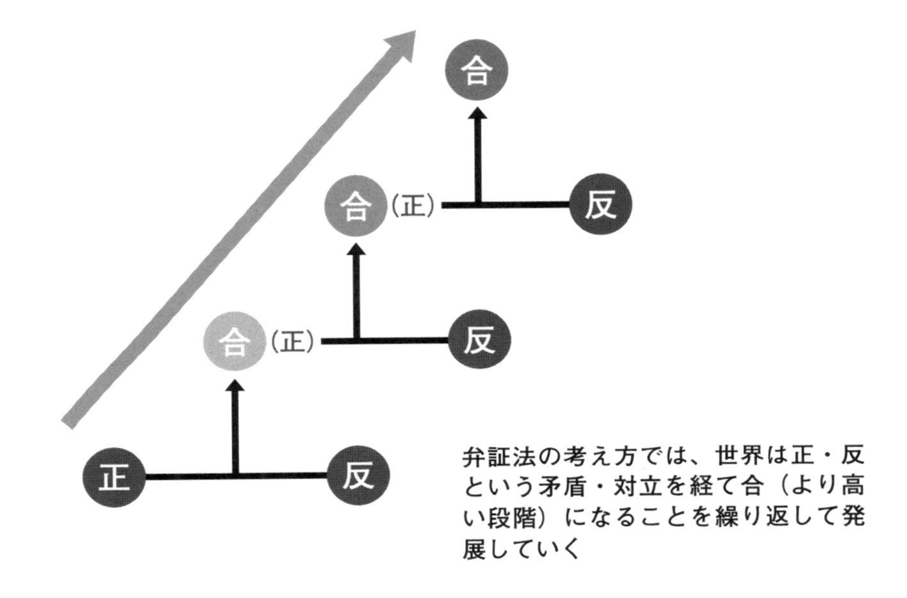

弁証法の考え方では、世界は正・反という矛盾・対立を経て合（より高い段階）になることを繰り返して発展していく

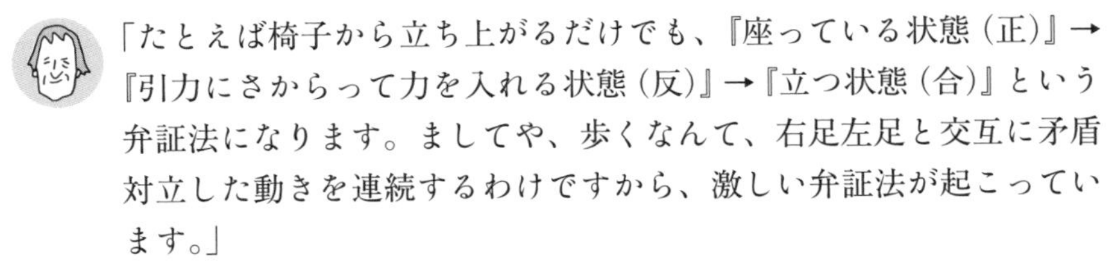

「たとえば椅子から立ち上がるだけでも、『座っている状態（正）』→『引力にさからって力を入れる状態（反）』→『立つ状態（合）』という弁証法になります。ましてや、歩くなんて、右足左足と交互に矛盾対立した動きを連続するわけですから、激しい弁証法が起こっています。」

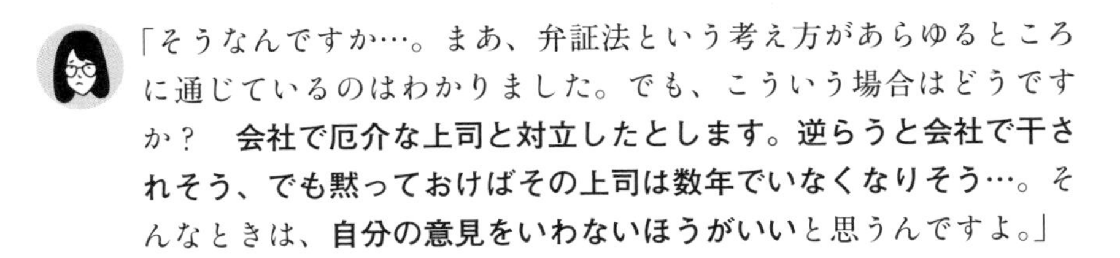

「そうなんですか…。まあ、弁証法という考え方があらゆるところに通じているのはわかりました。でも、こういう場合はどうですか？　**会社で厄介な上司と対立したとします。逆らうと会社で干されそう、でも黙っておけばその上司は数年でいなくなりそう…**。そんなときは、**自分の意見をいわないほうがいい**と思うんですよ。」

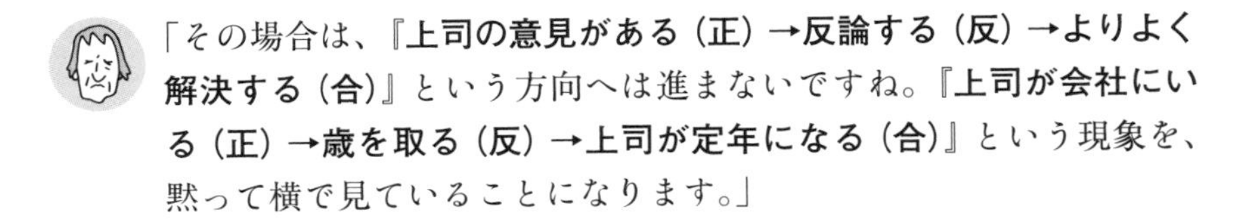

「その場合は、『**上司の意見がある（正）→反論する（反）→よりよく解決する（合）**』という方向へは進まないですね。『**上司が会社にいる（正）→歳を取る（反）→上司が定年になる（合）**』という現象を、黙って横で見ていることになります。」

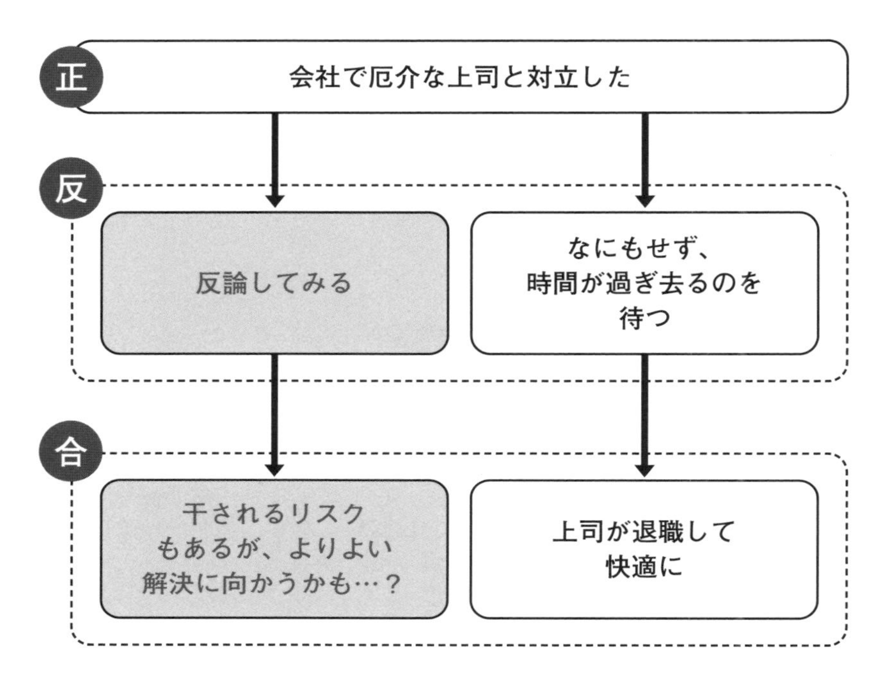

どちらのルートでも、最終的に世界は「正→反→合」の過程を経て変化していく。

「でも、逆にいえば、**放置しておいても弁証法が働いて、勝手に世の中が変わっていく**ということですよね。」

「それはそうですね。世界の根本にそういう原理がありますから、人間はそれに操られているようなものです。」

「じゃあやっぱり自分は、できるだけこぢんまりやりますよ。**私が動くことでかえって厄介になることもありますし**。」

実況　「弁証法は世界の法則なんですね。」

解説　「そうですね。『晴れていたら（正）、急に雨が降ってきて（反）、傘を買って濡れるのを防ぐ（合）』などのささいなことも弁証法です。そういった小さな弁証法が積み重なっているのが、人生なわけです。」

実況　「となると、この世界で何事も起こらないほうがおかしいわけですね。」

解説　「そうです。なにかトラブルが起こったら、それは弁証法の流れに沿っていると考えたほうがいいでしょう。」

実況　「でも、ことなかれ主義者さんのいうように、動かないでただ見ている人がいてもいいとも思えます。別な人が大きく動けばいいわけですから。ここでは、ことなかれ主義さんに一本です。」

ROUND 3 START!

「まあ、ことなかれ主義的にこぢんまりやるのもいいでしょう。でも繰り返しますが、先のケースに限らず、あらゆるところで**『安定（正）→トラブル（反）→解決（合）』という弁証法は、常に起こる**わけです。」

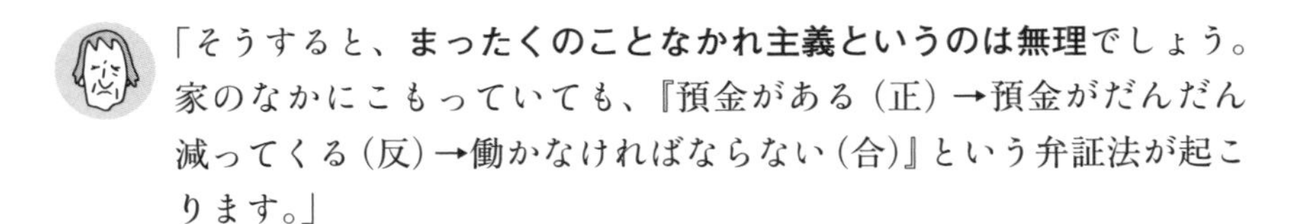

「そうすると、**まったくのことなかれ主義というのは無理**でしょう。家のなかにこもっていても、『預金がある（正）→預金がだんだん減ってくる（反）→働かなければならない（合）』という弁証法が起こります。」

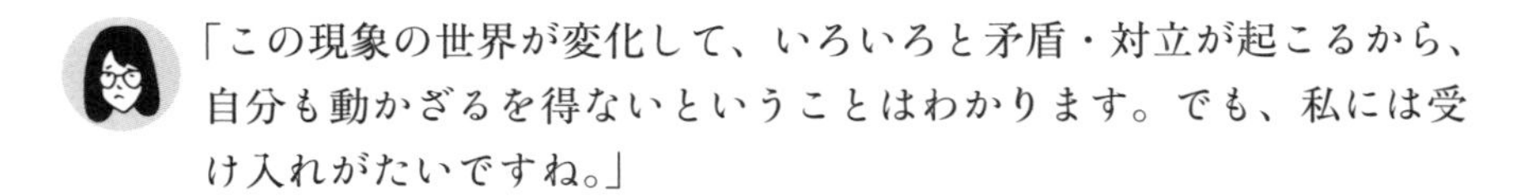

「この現象の世界が変化して、いろいろと矛盾・対立が起こるから、自分も動かざるを得ないということはわかります。でも、私には受け入れがたいですね。」

「矛盾や対立を恐れず、世の中が前向きに進んでいることを認識すればいいのです。この世界を見ればわかるじゃないですか。**我々は矛盾を経て発展するようにできている**んですよ。ほとんどの人は、矛盾・対立を乗り越えてより高い段階へ進んでいくものなんですよ。」

「でも…世界とか、そんな大きな先の話をされても、今生きている自分には関係ありません。**世界全体の行く末を考えるのは避けて、私個人の生き方を優先します**。めんどくさいことが多い今の時代は、やっぱり、ことなかれ主義が一番です。」

「しかし…あなたは今私との対立を経て、弁証法をまさしく実践したじゃないですか。」

「…え？」

「あなたは**最初『自分はことなかれ主義でいい』という主張をしていました（正）。そして私と議論して、それはダメだと批判された（反）。そして議論を経て、より強固なことなかれ主義に発展したのです（合）**。つまり、この会話自体が弁証法だったのです。ほら、矛盾や対立を経ると、新しい発見があるでしょう？　あんまり『ことなかれ主義』に捉われすぎず、たまにはいろいろ議論してみるといいですよ。」

実況　「なんと…この議論自体が弁証法だったのですね。」

解説　「そのようです。『意見をいう（正）→反対意見が出る（反）→両者の合意が得られる or 意見をいう』というディベートは、まさに弁証法ですからね。」

実況　「最初はことなかれ主義だったつもりが、いつの間にか真逆の弁証法を実践することになっていたというわけですか…。しかし、こう考えると、弁証法は本当にあらゆることに適用されるのですね。」

解説　「そういう意味で、ヘーゲルさんの哲学は、後の哲学にものすごい影響を与えています。マルクスさん（184ページ参照）がその有名な例ですね。」

ちなみに　ヘーゲルは哲学で芸術の領域を開拓し、「芸術哲学」の基礎をつくった。だが、同じドイツ人のベートーヴェンについては一度も語らなかったという。なぜかはわからないが、ヘーゲルは、イタリアオペラが大好きだったらしい。

ヘーゲルの哲学

世界は「弁証法」で動いている！

フリードリヒ・ヘーゲル（1770〜1831）…ドイツの哲学者。ドイツ観念論の大成者。主な著作に『精神現象学』、『歴史哲学』など。

EXPLANATION

この宇宙のマスター的存在「絶対精神」

ヘーゲルが唱えた弁証法は、**すべてのことがわかってしまう「宇宙の法則」**であるとされます。これはどういうことなのでしょうか？

ヘーゲルは、**あらゆる物質は、宇宙の原理である「絶対精神」が「自己外化」して表現されたもの**だと考えました。「自己外化」というのは、たとえれば芸術家が自己の精神を作品で表現するようなものです。精神は**自己否定**（自分の考えに「ちょっと待った！」をかけるイメージ）をしながら、自己外化していきます。精神が表れとしての物質へと自己外化したものが、自然の世界なのです。

世界の本質も「精神」!?

精神は、「外化」することではじめて他人にも理解されます。たとえば、画家の内面のあり方（主観的なあり方）は最初から存在しているのではなく、**作品（客観的なあり方）の完成に努める労働によって形成され、現実化します**。この考え方は、後にマルクス（184ページ参照）に影響を与えました。

ヘーゲルは、**個人だけでなく、世界の本質もまた精神である**と考えました。世界全体も、精神が自らを現実へと外化し、それが歴史的に展開していくのだと唱えたのです。**芸術家が作品で自己を表現するように、宇宙の究極の存在である「絶対精神」が自己表現をすると、それが世界史として現れます**。ヘーゲルはこの過程で、世界の本質が「**自由で理性的な精神**」であることが自覚されるのだと述べています。そしてこの歴史の過程が、**「弁証法」の法則にもとづいて展開される**のです。

弁証法によって、すべての存在は高みに発展していく

ヘーゲルはこの弁証法について、「**花のつぼみが果実にいたるまで**」の過程を例として説明しています。花は「**つぼみ**」（**正**）の状態から「**花**」（**反**）を経て、「**果実**」（**合**）というように展開します。世界史もまた、「**平和な状態→人々が不満で暴れ出す状態→新しい政治が行われる状態**」というように、「**安定した状態（正）→不安定な状態（反）→より高まった安定した状態（合）**」へと展開します。

このように、すべての存在は自身のうちに**矛盾・対立の要素**を含んでいます。そして、それが相互に作用し合いながら、より**新しく本質的な高い次元**へ発展していくとされました。

「ディベート」も弁証法のうち？

ヘーゲルによれば、弁証法はすべての存在を説明する万能の公式です。そのため、**身近な出来事から、大きな歴史の発展まで、あらゆる物事を弁証法のパターンで考えることができる**とされました。

ディベートもまた「**ある認識（正）から反論（反）を経て新たな認識（合）にいたる**」という意味では、**弁証法のひとつ**だと考えられます。誰かに意見されて、それにまた反論するのも弁証法です。そうやって、人間は真理に近づいていくのかもしれません。

ABOUT CARRYING OUT ONE'S ORIGINAL INTENTIONS

初志は貫徹すべき?

いうことがコロコロ変わるのは いいとは思わんのだが…。

ベテラン役員より

あまりこういう言い方はしたくないのだが…最近の若い人は、いうことがときと場合に応じて変わりすぎではないかな？

就職するときは「この会社で社会貢献したい」といっていたのに、しばらくすると「違う仕事がしたい」といい出すし、転職してもやがて「独立してフリーになりたい」などといったりするそうじゃないか。

いうことがコロコロ変わることはあまりよくないと思うのだが…。こう思うのは私だけなのかね？　ぜひ議論してみたいものだ。

この方は「最近の若者は…」とおっしゃっていますが、実はこういう議論はけっこう昔からあるんですよ。

要するに「一度出た結論を変えていいか」というテーマですよね。**私は「問題が生じたら、その都度考え直していい」と思います**よ。

THEME 03

初志(しょし)は貫徹すべき？

「やはり、**人生はひとつのことを貫くのが一番**だと思うよ。ほら、かの孔子も『論語』でいっているでしょう。『私の人生では、終始一貫、ひとつのことで貫かれていた』（『論語』里仁篇）とね。我々もこうあるべきではないかね。」

「それは理想ですね。しかし、私のようなアメリカ人にとって、ずっと同じ立場を貫くというのは、なかなか難しい話です。なにしろ人種もさまざまで、価値観も多様です。現代はさらに変化の激しい時代でしょうから、考え方を臨機応変に変えていかないと。」

「いやいや、**『一(いち)を以(もっ)て之(これ)を貫(つらぬ)く』という考えは、情報量が多い現代社会にも通じる**ことだよ。心はブレやすいものだから、自分の考えを貫くことが必要なのだ。」

「お言葉ですが、むしろ**思考は道具**なのですから、状況に応じて取り替えたほうがいいのです。**道具主義**と呼ばれているんですがね。」

「思考は道具？　どういう意味かね。」

「私は**思想や知識は問題を解決するための手段であり、その場その場で最適なものを使い分けるべきだと思う**のです。これが『**思考は道具**』という言葉の意味です。」

☑ **KEYWORD　道具主義（英：instrumentalism）**

デューイは、知識や思想、論理は「**現実の社会生活のなかでぶつかった問題を解決するための手段**」、つまり道具であると考えた。道具主義では知識を絶対のものとは考えずに、「**検証されうる仮説**」であるとする。つまり知識や思想の価値は、その場その場で発生する問題を解決できるかどうかの検証で決まるとされた。そして、それを判断する知性はその人の行動の結果によって実証されていくと考えた。

「たとえば『カレーというのは辛くあるべきだ』という考えをもっている人がいたとします。この人が初志貫徹に固執していると、『辛いのが苦手な人に甘口カレーをつくってあげよう』という発想は出てこないわけです。このように、思想や知識はひとつのものに捉われず、臨機応変に変えるべきなのです。」

「でも、たとえばこういう場合はどうだ？　**思想が変わっていって、結局似たような方向にまた戻ってくるようなこともあるんじゃないか？**　そうすると、ただ回り道をしているだけだぞ。周囲からは頼りないと思われるかもしれん。」

実況　「『初志貫徹を目指すべきか、臨機応変に考え方を変えてもよいか』…これはややこしい問題ですね。」

解説　「ソクラテス以来、哲学では『ひとつの変わらない真理がある』ということを重視する考えが主流でした。けれども、ニーチェ以降の哲学では、『絶対的な真理なんてないのでは』という相対的なものの見方が強くなりました。そしてデューイらのプラグマティズムの思想では、『思考そのものを根こそぎ取っ替えてしまってもよいのではないか』というところまできています。」

実況　「日曜大工なんかでも、マイナスドライバーを使ってもうまくいか

ないときはプラスドライバーに取り替えますね。それと同じように、
思考も取っ替え引っ替えしていいというわけですね。」

ROUND 1 JUDGE!

ROUND 2 START!

「いや、それでいいのです。**同じ結論のように見えても、前とまったく同じということはありません**から。」

「それでいい⁉　回り道をして時間をムダにすることのどこがよいことなんだ。」

「たとえば、ある会社で、**紙の資料を全面廃止して、タブレットに統一した**としましょう。紙だと経費がかさむとか、取引先に送りにくいとか、そういった問題点を克服するために、タブレットでデジタル改革をしようとしたわけです。」

「ところが、その後で**やっぱり紙のほうがリアルな会議なんかでは重宝することがわかって、結局不便なときは紙も使おう**という方針に戻った。こういうことってありますよね？」

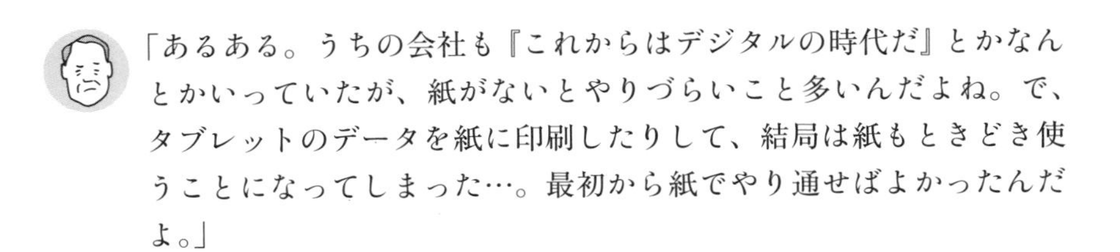

「あるある。うちの会社も『これからはデジタルの時代だ』とかなんとかいっていたが、紙がないとやりづらいこと多いんだよね。で、タブレットのデータを紙に印刷したりして、結局は紙もときどき使うことになってしまった…。最初から紙でやり通せばよかったんだよ。」

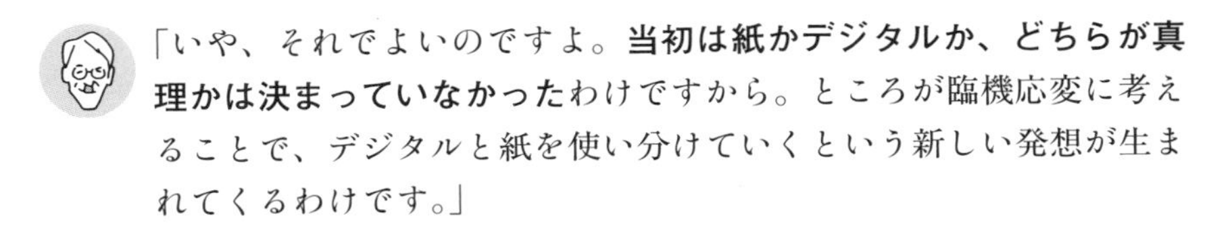

「いや、それでよいのですよ。**当初は紙かデジタルか、どちらが真理かは決まっていなかった**わけですから。ところが臨機応変に考えることで、デジタルと紙を使い分けていくという新しい発想が生まれてくるわけです。」

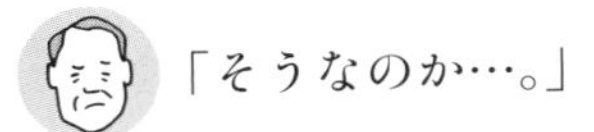

「そうなのか…。」

「思考を変えていくことで、**当初は『紙を使うことが正しいのか？』という矛盾した不確定な状況、言いかえると『疑念』のある状況であったのが、『やっぱり紙がよかった』という場面があるのがわかった**。そして、状況に応じてタブレットも使えば紙も使うという矛盾のない確定した状況に落ち着きました。これは、新しい『信念』にいたったといえます。もちろんこの状況もまた、変化すると思いますが…。」

☑ KEYWORD　信念

デューイの言及した「信念」とは、**『ある事実が「信頼可能」であるかどうか』という真理についての概念**である。
現時点で「正しい」とされているものでも、それは、常に疑いを含んでいる。**つまり「正しい」とされていることは、単に「その時点での真理」なのであって、実は「仮説」である**。よって、この「仮説」は科学的検証を受けた場合、新しい真理へと入れ替わっていくこととなる。

「堂々巡りをして似たような結論になっても、それが『信念』に変わっているからいいというわけか。」

「そうなります。**人間の思考は、矛盾した不確定な現状から、矛盾のない確定した状況にいたる探求**なんです。『正しいこと』とは探求によって獲得されるもので、**真理は無限に続く探求の一過程**なのです。」

「正しいことっていうのは、コロコロ変わらないから真理っていうのではないのかい？」

「それはソクラテス以降の古い思想で、**新しい哲学では、『真理』と呼ばれているものがどんどん変わっていきます**。」

「だったらさっきの例だと、またやっぱりデジタルのほうが便利だということになれば…？」

「そのときは実験検証を経て、またデジタルに戻すのです。もっとも、そのデジタルのシステムもいずれまた検証されて、新しい形のなにかが出現するかもしれませんが…。」

「あんまりいうことがコロコロ変わるやつは、賢くないと思われそうだがね。」

「いえ、そうした**知性もまた、『生活改善などをする道具』**なのです。この知性という道具は、実験的知性と呼ばれます。」

☑ KEYWORD　実験的知性（創造的知性）

道具主義では、人間と環境の関係が不安定になると、その解決のために探求が始まり、この探求に知性が働くと考えられている。人間の知性は、具体的な見通しを立てて問題を解決しようとする。これが実験的知性（創造的知性）である。

「ひとつのことだけに捉われるのではなく、問題が起こるたびに考え直していくのが『知性』だ…それが君の主張というわけだな。」

「そうです。**ひとつのことに執着して、それが絶対に正しいと思い込むのが一番よくない**のです。知性の価値は**有効性**、つまり実際的に役に立つところにあります。だから、どんどん実践して、その結果から正しいことをつかみ取っていくのです。」

「そうか…。最初は変なことをいうものだと思ったが、君の説は現代的でいいかもしれないな。どうだね、さっそく考え直してみたんだが、君、ウチの会社に来ないかね。」

「いえ、遠慮しておきます。」

ちなみに　太平洋戦争終結後、日本では、アメリカ教育使節団による教育改革が行われた。そのなかには、進歩主義的なデューイの教育論が含まれている。

実況　「議論はデューイさんに軍配が上がりましたが、役員さん、さすがの吸収力ですね。デジタルのような新しい技術は『常に正しい』と思い込みそうですが、その状況で実験をしながら、有効なものを選ぶということが大事なようですね。」

解説　「そうです。『絶対に正しいことがある』という考えはやめて、『一見正しいとされていることも、保証つきの仮の姿なんだ』と考えることが大切です。この考え方は科学にも適用されていますよ。」

実況　「確かに、科学史においても今まで信じられていたことが誤りであったということはよくありますね。」

思考は道具としてどんどん使おう！

ジョン・デューイ（1859〜1952）…アメリカ合衆国の哲学者。プラグマティズムの思想家。教育と社会改革を進める。著作『哲学の改造』など。

EXPLANATION

結果よければすべてよしの哲学、プラグマティズム

デューイ自身は、自らの哲学をプラグマティズムと呼んでいるわけではありませんが、**パース、ジェームズ、デューイ**はプラグマティズムの御三家とされています。**プラグマティズムは日本語では「実際主義」「実用主義」などと訳され、まず「実践」によって真理を獲得しようという考え方**です。

ジェームズはパースの考え方（観念は結果でわかる）を発展させ、**人生において実際的に効果をもったものであるならば、それは真理である**と考えました。つまり、結果がよければ、それが真理ということになります。そしてデューイは、パースとジェイムズ、またダーウィンらの影響を受けて、さらにこの考え方を発展させました。

「思考」は道具だという新しい哲学

デューイは、**「思考」は、環境をコントロールするための道具である**とします。この考え方は、具体的には次の５段階で説明されています。

①まず、疑念が生まれる問題状況が生じます。②そこで問題の設定を行い、③次に問題を解決するための仮説の提示をします。④そして、推論による仮説の再構成を行い、⑤実験と観察による仮説の検証を行うのです。

彼は、このような立場を道具主義（instrumentalism）と名づけました。

思考はひとつのツールですから、**それを使ってみて効果があれば続ければいいし、もし問題が生じればその古い考え方を捨て、新しい考え方を適用すればよい**わけです。

教育にも提言を行ったデューイ

デューイは、「**哲学者は、社会で承認された多様な価値や理想を、それらの結果に照らして吟味するべきだ**」と考えました。対立の解決を試み、新しい可能性への道を示すことを主張したのです。

デューイはこのような考え方を**教育**にもあてはめます。彼は、**教育の画一性を批判しつつ、子どもたちの成長と活動に重点をおくべき**とし、人間の自発性を重視しました。デューイによれば**学校は「小型の社会」**であり、**授業のなかでは「問題解決学習」を行って、多様な価値観をもつことが望ましい**と考えたのです。なお彼の教育観では、ディベートも勧められていたようです。

プラグマティズムの思想は現在も進行中！

プラグマティズムの考え方は、現在にも広がっています。パース、ジェームズ、デューイらの古典的なプラグマティズムを経た後、**20世紀初頭から中ごろにかけては新しいプラグマティズムが提唱され、これらはネオ・プラグマティズムと呼ばれています**。そして現代にいたるまで、リチャード・ローティらさまざまなアメリカの哲学者によって、拡大し続けているのです。プラグマティズムに興味をもった方はぜひ、生活に取り入れてみてください。

ABOUT AVOIDING ROMANCE

恋愛を避けて生きるのはアリ?

「恋愛至上主義」にはうんざりです…。

草食系男子より

僕は恋愛にはあまり積極的ではありません…というか、そこまで必要だと思えないんです。「恋愛できないひがみだろ」という人もいますが、そういう恋愛至上主義がもう嫌なんです。

今は娯楽も豊富な時代ですし、１人でも十分に楽しく生きていける時代です。**恋愛よりリスクも低く、コスパのいい娯楽がたくさんある**んですよ。

結婚となればお金もかかりますし、なおさら必要性を感じません。実際、僕みたいな人って最近は珍しくないんですよ。

「恋愛よりコスパのいい娯楽もたくさんある」と彼はいっているが、**恋愛は娯楽というより、必要な修行だ**ともいえるかもしれん。

恋愛をすることで精神的な愛を学び、それがやがて究極の美や善を知ることにつながるんだよ。この辺りは、ディベートのなかでも詳しく説明しよう。

THEME 04

恋愛を避けて生きるのはアリ？

ROUND 1 START!

「最近の若者は、恋愛をしないらしいな。告白もしないって話だぞ。」

「そうですね。僕も恋愛不要派です。告白したら断られそうで怖いですし、デートもいろいろと段取りを決めるのがおっくうで、もし失敗したらと思ったら恐ろしくてできません。」

「それはもったいない。古代ギリシアでは、恋愛がとても重視されていたんだ。私の書いた『饗宴』という対話篇があるんだが、これも恋愛論なんだよ。これは**大いに恋愛をして魂を高めていこう**という話なんだ。」

☑ KEYWORD 『饗宴』

プラトンの著書。アテナイの悲劇作家アガトンの邸宅を舞台にしている対話篇（対話型の哲学書）である。プラトンの師匠にあたるソクラテスと友人らが、食事が終わったあと、それぞれ恋愛について語っていくという内容。

「魂を高めるとおっしゃいますが、**恋愛はそんな高尚なものじゃない**という意見もあります。」

「私はそうは思わんけどね。それに、恋愛をしないとなると、結婚もできないのではないかな？」

「それでいいんですよ。現代人は結婚も躊躇しているんです。一部の調査によると、結婚した人としていない人の幸福度は、その人が金銭をどれだけもっているかで決定するそうです。**つまり、『結婚＝幸せ』とも限らないんです。今はたくさん娯楽もあるのだし、恋愛して結婚するメリットは必ずしも多くない**んですよ。」

実況　「確かにお金があって、自由に過ごしていけば気楽かもしれません。草食系男子さんみたいな人、最近はけっこう多いみたいですね。」

解説　「そうですね。『１人だと寂しいのではないか』という意見も聞くのですが、科学技術の進んだ現代では、人間と共に過ごすAIやロボットも登場していますから、寂しさも解決できてしまうのかもしれません。」

ROUND 1 JUDGE!

ROUND 2 START!

「さっきから恋愛や結婚のメリットとリスクを唱えているようだが、それは恋愛を『快楽』として捉えているからそうなるんだよ。**恋愛とはもともと『快楽』ではなくて、『修行』**なんだよ。」

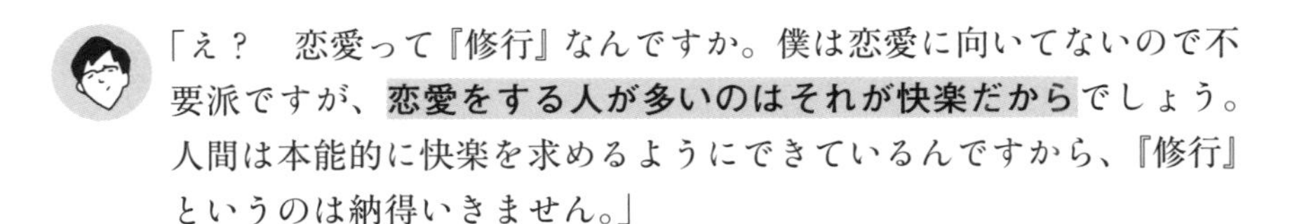

「え？　恋愛って『修行』なんですか。僕は恋愛に向いてないので不要派ですが、**恋愛をする人が多いのはそれが快楽だから**でしょう。人間は本能的に快楽を求めるようにできているんですから、『修行』というのは納得いきません。」

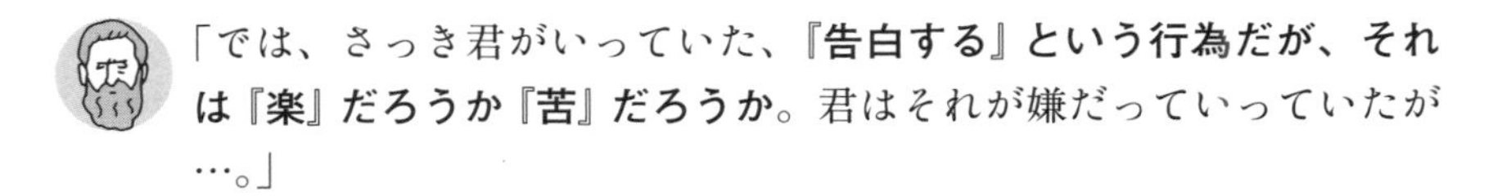

「では、さっき君がいっていた、**『告白する』という行為だが、それは『楽』だろうか『苦』だろうか**。君はそれが嫌だっていっていたが…。」

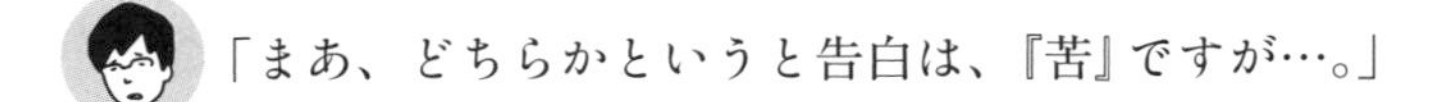

「まあ、どちらかというと告白は、『苦』ですが…。」

「さらに、告白が成功してデートすることになったとして、**デートスポットを探したり、うまい店を見つけたりする行為は、『楽』だろうか『苦』だろうか**。そして、いざデートとなったときに、**うまく行っているかどうかを思案しながら行動するのは、『楽』だろうか『苦』だろうか**。けっこう、気を使うと思うんだが。」

「確かにそうですね…。まあ、楽しんでデートスポットを探すという人もいるでしょうが、失敗しないようにするためには、いろいろ事前に準備して気は使いますね。」

「そうだろう。いろいろな店を探して、計画を立てて、出費も計算しなければいけない。それでも白けて終わるデートになるかもしれない。こんなことにわざわざチャレンジするのは、苦しみ以外の何ものでもない。だから、まず**根本的に恋愛は『なにかを得るために必要な修行』だと捉える**んだ。」

「でも、それはその先に快楽があるからじゃないですか？　ほかに恋愛修行をすることでなにか得られるんですか？」

「**『真実の愛』**を得られるのだよ。愛し合っている者同士は必然的に、互いを見ては喜び、好意的に話し合い、信頼し合い、思いやり、共に苦しむ。これは深い愛があるからだ。恋愛とはこれを学ぶための修行だといえるのではないかな。」

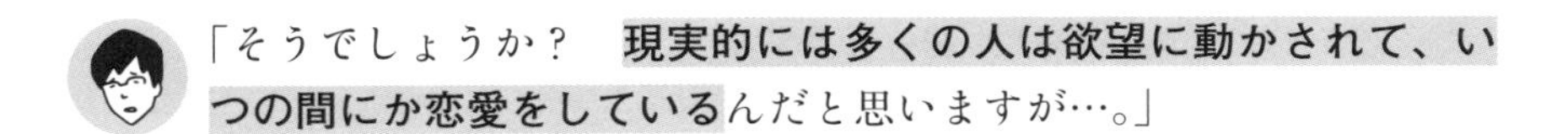

「そうでしょうか？　**現実的には多くの人は欲望に動かされて、いつの間にか恋愛をしている**んだと思いますが…。」

「いやいや、**欲望から始まる愛を『魂への愛』に高めていくことが、恋愛道**なのだ。まず、恋人と惹かれ合い、喧嘩しながらも、だんだんと愛を高めていくんだよ。」

「恋愛の後は結婚が来るものですが、それも修行なんですか？」

「その通りだ。**恋愛も結婚も魂が高まり合う過程**なんだ。結婚の後に子どもができたら、その子も成長し、また恋愛しては結婚する。そうやって人類は続いて、君たちの時代まで高まってきたというわけさ。**君の存在そのものが、人が善なるものに向かって恋愛道を乗り越えてきた結果**なんだよ。」

実況「なるほど。ご両親が結婚したことで今の草食系男子さんが存在するのは、まぎれもない事実ですからね。」

解説「そうですね。男女の触れ合いによって生まれてきた自分が、今度はそれをしませんというのは、人間の本質存在的には、どうなんですかね…。」

ROUND 3 START!

「それに、恋愛には、もっと深い意味があるんだよ。それは『エロース』だ。」

「エロスですか⁉」

「言い方に気をつけて！　『エ』を強く発音せず、『ェロース』という感じで、後半に力を入れて伸ばしてくれ。今日のエロスとは意味が違うからな。私はこのエロース、つまり**『現実を超越した理想の追求』こそが恋愛の意味**だと思うのだ。」

☑ KEYWORD　エロース

エロースとは、「愛・恋愛」を意味するギリシア語である。これはもともと**「ある対象に価値を認めて、それを獲得しようとする欲求・衝動」**という意味だった。
プラトンはこのエロースの意味をより発展的に捉え、「**究極の理想に憧れて、それを捉えようとする哲学的な衝動**」の意味で用いた。

「人間は恋愛を通して、個別の肉体的な愛から、最終的に究極の善・美の認識にいたるのだよ。**恋愛をしないということは、こうした機会を失うこと**になってしまうかもしれん。」

「究極の善・美というのはなんなんでしょう？」

「それは、イデアだよ。イデアとは**現実を越えたところに存在していて、美や愛など、あらゆる物事の理想的なあり方を示すもの**なんだ。」

☑ KEYWORD　イデア

プラトンの示すイデアとは、**物質的な世界を越えたところにある永遠不滅な真実在（異世界にあるホンモノの存在）**である。プラトンによると、イデアは、真理や美、正義などである。**あらゆる現実世界の個物はイデアの不完全な模倣であり、イデア界に存在するイデアこそが完全なモノ**とされる。このイデアへの憧れをエロースと呼んだのだ。

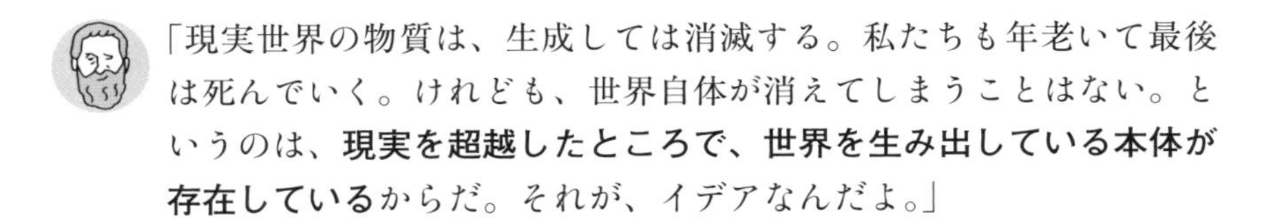

「現実世界の物質は、生成しては消滅する。私たちも年老いて最後は死んでいく。けれども、世界自体が消えてしまうことはない。というのは、**現実を超越したところで、世界を生み出している本体が存在している**からだ。それが、イデアなんだよ。」

「どうもそれが信じられないんですよね。現実の世界を越えたところに存在するイデアとかいわれても…。」

「わかるよ。ちょっと図形を例に考えてみよう。君は『**完全な三角形**』を見たことがあるかい？」

「完全な三角形ですか…？　教科書とかに載っているものがそうなんじゃないですか？」

「いや、**我々が見ているような三角形は、実は拡大すると角がボコボコ**なのだよ。数学の教科書に載っている三角形だって、印刷物なのだから。」

「でも、CGとかでしっかり描けば、きれいな三角形になると思いますが…。」

「そもそも、**線とは本来、幅をもたないものであり、点も本来は面積をもたないもの**なんだ。しかしどんなにCGで精巧に描いても、幅やら面積やらは出てきてしまう。つまり、現実世界に完全なものは存在できないんだよ。」

「だったら、完全な三角形はないんでしょうか？　僕が教科書で見ていたものは三角形ではないと…？」

「いや、**現実世界に完全な三角形はなくても、私たちは頭のなかで完全な三角形を思い描くことができるんだ。**だから現実世界の不完全な図形を見ても、正しく認識できるのだよ。」

「これらのことがわかるのは、感覚を超えた理性の働きがあるからだ。完全なる三角形の存在は、現実世界には存在しない。**理性によって捉えられる三角形そのものが『三角形のイデア』であり、そのイデアが存在する領域こそがイデア界**なのだ。」

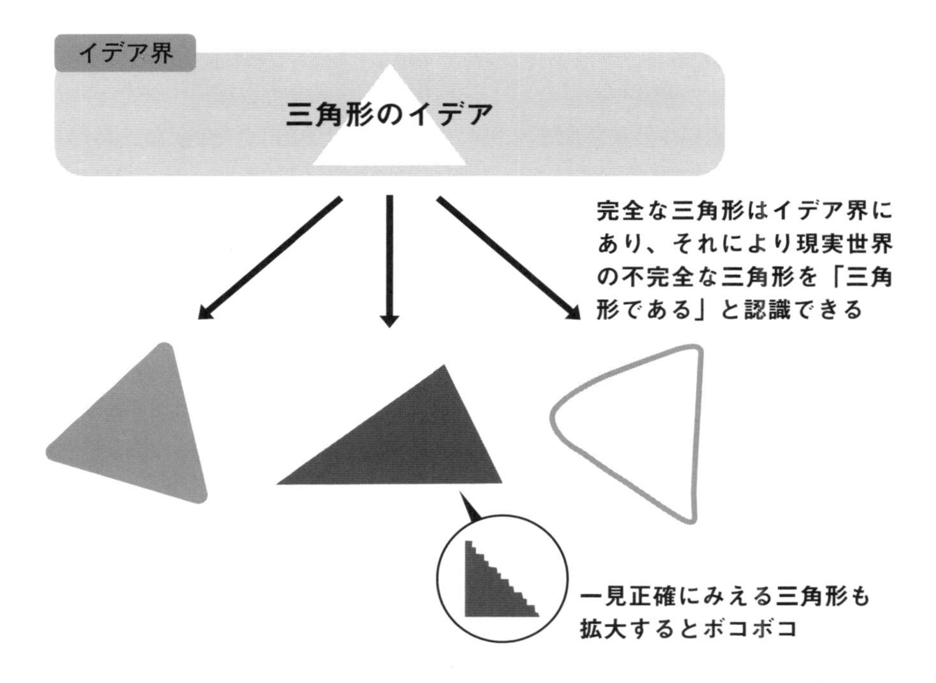

「イデア界に完全なものが存在するんですか…。では、この現実世界はなんなんですか？」

「この**現実世界は影のようなもので、本体はイデア界にある**んだよ。今の時代でいうなら、仮想現実のようなものだな。」

☑ **KEYWORD 「洞窟の比喩」**

プラトンは、イデア論の例えとして、「洞窟の比喩」を用いて説明した。洞窟のなかで壁だけしか見られないように縛られている人々がいたとして、その人々の後ろから火が灯っている場合、人々はその火によってできる影だけを実体だと思い込んでしまう。イデア論によると、**現実世界は**、いわばこの影のようなもので、**本体**（イデア）は別なところにあるという考え方である。

「そういう考えがあるんですね。しかし、それと僕が恋愛することと、そんなに関係ありますかね？」

「それをさっきいいたかったんだよ。イデアは、物質を越えた高次な存在だ。**恋愛をすることで、人々は物質としての肉体への欲求からやがて精神的恋愛を学び、それが物質を越えたイデアへの認識へとつながる**んだ。」

「男女とも年老いていけば、**肉体的な美**は失われる。けれども、2人がイデアを理解していれば、肉体の美を越えて、**精神的なつながり**を保ち続けることができる。こうして、**物質的世界の低い段階の美から、精神的世界、つまりイデア界における高次な段階の美へと飛翔することができる**。このイデアを求める心がエロースなのだ。**恋愛とは、イデアに到達するための修行**なんだよ。」

「恋愛はイデアを理解するための修行…。だから、大変なのは当たり前ということですか。」

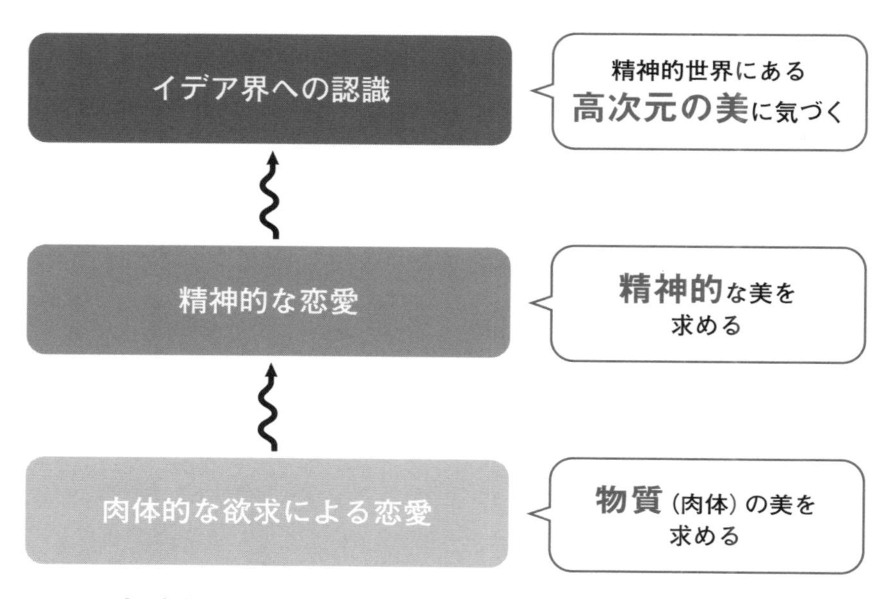

恋愛を通して、徐々に精神的な世界（イデア界）に近づいていくことができる

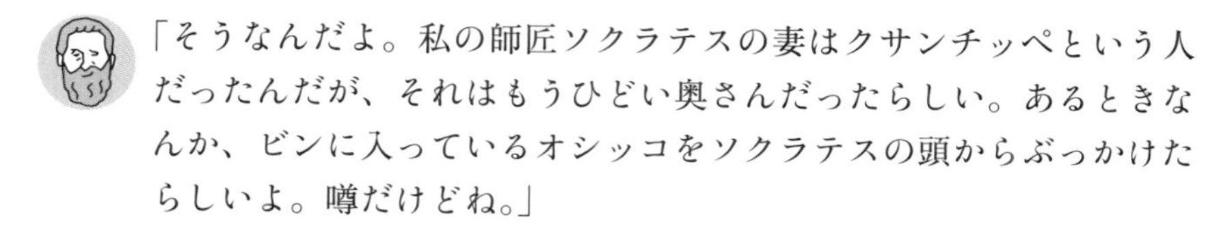

「そうなんだよ。私の師匠ソクラテスの妻はクサンチッペという人だったんだが、それはもうひどい奥さんだったらしい。あるときなんか、ビンに入っているオシッコをソクラテスの頭からぶっかけたらしいよ。噂だけどね。」

「なんですか、その奥さんは…。」

「まあ、師匠のソクラテスも外を歩き回って哲学の問答ばかりしていたから、しょうがないかもしれんが。でも、師匠はいっていた。『悪妻をもつと、よい哲学者になれる』とね。まあ、ここまでする必要はないかもしれないが、**恋愛や結婚はより高みを目指すために必要な修行だ**ということだよ。」

「まぁ、僕は哲学者になりたいわけではないですが…恋愛が必要な修行だというのは意外な観点でした。ちょっと考えてみます。」

ちなみに プラトンは、もともとは政治家を目指していた。ところが、師匠であるソクラテスが死刑になると、哲学者になることを決意したと伝えられている。

実況 「プラトンの『イデア』ってなんとなく聞いたことあったんですが、これが恋愛と関係があるとは意外でしたね。」

解説 「そうですね。プラトンのイデア論は、すべての哲学に影響を与えている根本的な考え方です。この説が土台になって新しい哲学が生まれ、逆にこの説が批判されることでさらに新しい哲学が生まれることになりました。こうして、プラトンの哲学は現代にいたる哲学史に連なっています。」

プラトンの哲学

「エロース」は、永遠不滅のイデアを求める愛だ

プラトン(紀元前427～紀元前347)…アテナイの名門出身。古代ギリシアの哲学者。著作『ソクラテスの弁明』、『クリトン』、『ゴルギアス』、『国家』など。

EXPLANATION

普遍的真理はどこかに存在している

プラトンの対話篇『メノン』では、ソクラテスが子どもとに幾何学についての問答をするシーンがあります。このなかでは、なんと**無学な奴隷の子どもが幾何学の証明をしてしまいます**。つまり、**その子どもは、幾何学的真理を先天的に知っていた**のです。また「美」「善」「真」などの概念も、同じく誰もがすでに知っていることと考えられました。**このような世界の真理は、人類が勝手に決めていることではなく、普遍的・絶対的に存在していることなのではないか**。プラトンはそれを「イデア」と表現したのでした。

恋愛によって「イデア」に到達できる？

プラトンは対話篇の『饗宴』によって恋愛道を展開しています。この著作は、**プラトンの師であるソクラテスとさまざまな友人(男性)が集まって、恋愛について語り合う宴会**という形式となっています。

この書のクライマックスでは、「**人間はいつかは老けるものである**」という趣旨のことが述べられています。そして、**人間が恋愛をする理由は、「自分がいつか消滅してしまうからこそ、永遠のもの(イデア)を手に入れたい」と考えるからだ**と説かれています。

永遠を求める欲求、それが「エロース」

このように、**永遠なるものに憧れるような欲求を、プラトンは「エロース」と呼びました**。

お金や名声など「善きもの」を手に入れたいと思うのもエロースと関連があります。基本的に、未来永劫にわたってなにかを手に入れたいと思うことをエロースと呼ぶのです。

誰もが永遠不滅のイデアを知ることができる

このエロースが、恋愛やイデアとどのように関係するのでしょうか？

プラトンによれば、恋愛をするとまず人間は「**肉体に恋する者**」となります。そして次に、**肉体の美よりも魂の美のほうが尊い**のだと気づきます。**この魂の美に気づくことで、すべての人間の営みに普遍的な美が含まれていることがわかってくる**のです。

このように、さまざまな美しさの順序を追って、だんだんとステージを高めていくのが「**エロース（恋）の道**」です。そしてこの道をたどっていくことで、誰もが**あるとき突如として「驚嘆すべき美の本性（イデア）」と遭遇する**とされています。

私たちが誰かに恋をする理由は、この**生成消滅する儚い世界（現象界）において、永遠不滅の存在としてのイデアを求めているから**なのです。このイデア論は哲学史に大きな影響を与え、「**西洋哲学の歴史とはプラトンへの膨大な注釈にすぎない**」と述べる哲学者もいるほどです。

05

現代人

現実主義者

哲学者

アラン

ABOUT EUDAEMONICS

人生は幸福を追求すべき?

SNSの「幸せです」アピールにみんな疲れてる!

現実主義者より

最近、「**幸せにならなきゃいけない**」という**同調圧力**を感じるような気がするの。

インスタを開けばキラキラした写真ばかりで、ツイッターでは自己肯定感を上げるノウハウが回ってきて…まるで「幸福にならなきゃ終わり」みたいな感じじゃない。

確かに幸福になるのは悪いことではないけれど、人生そう上手くいくことばかりじゃないでしょう？ **「幸せ」アピールばかりのSNSを真に受けてないで、ある程度は諦めるのも大切**よ。

彼女はこういっていますが、私の場合、「**幸せになるのは義務だ**」と考えています。

「幸せばかり追い求めてると地に足がつかないのでは？」という意見もありますが、**幸せというのは「現実がどうあるか」ではなく「それをどう捉えるか」が大切**だったりするんですよ。

THEME 05

人生は幸福を追求すべき？

NO vs YES

現実主義者　　アラン

ROUND 1　START!

「幸福を追い求めるべきなんて…。それができれば世話がないわ。**現実はそううまくいかないのだから、幸福に固執すべきではない**のよ。」

「そうでしょうか？　深刻な本物の不幸を幸福に変えるのは難しいのですが、大した問題もないのにブツブツ不平をいって、自分で不幸になっている人も多いものです。私はそういう人の不幸を幸福に変えるというささやかな方法を説いています。」

「そうかしら？　そりゃお金があって、美味しいものを食べて、健康で、旅行にも行けて、人間関係もよければ幸福でしょう。でも、それができないのが人生。**ありもしない幻想を追い求めて生きるよりも、地に足をつけて生きていくほうが堅実**ということよ。」

「それは、私の哲学への批判として有名なものです。『現実から目を逸らして、地に足がつかないのでは？』ということですよね。でも、**幸福感というのは、『自分の外側に起こることを、内面でどう捉えるか』で決まる**のです。」

☑ POINT　幸福は内側にあるか外側にあるか

アランは外側からの嫌な出来事に振り回されて反応するだけの人間になると、幸福になれないと考えた。**幸福・不幸というものは心のなかにあるのだから、嫌なことばかりに目を向けないようにすることが必要**ということだ。

「でも、現実には嫌な出来事が多いときもあるでしょう。それなのに、そこから目を背けて、よいことだけ見つめるなんて、実際ただの現実逃避なんじゃないかしら？」

「その批判にも一理あります。でも、私の『幸福論』の方法を使ってみれば、世界の見え方が変わってきます。そもそも、ハナから無理だと考えておられるようですが、あなたは幸福になろうと決意したことはありますか？」

「ないわ。そもそも大して幸福でない状態で『幸福になる！』って決意するのって、不自然じゃないかしら？」

「それでは、あなたは幸福にはなれないかもしれません。**まず、なんの決意もなしに幸福になろうという考えを改めるべき**なのです。幸福になるには、努力が必要だからです。」

「いやいや、幸福って『楽になる』ってことよ。努力っていうのは苦しいことじゃない。幸福になるために苦しい努力が必要っていうのは、矛盾していないかしら？　**自然に幸福になりたいと思うのが多くの人の考えのはず**よ。そういう意味で、私はそれが現実的ではないから、ほどよく諦めるべきだといっているの。」

実況　「幸福になるにはどうすればよいのか。これは誰にとっても興味ある話題ですね。」

解説　「そうですね。アランさんは、自分の心の捉え方で、ある程度の幸せを手に入れることができると主張しています。一方、現実主義者さんは、客観的な現実をみていくべきという立場ですね。」

実況　「幸福になるには物事の見方を変えるべきだというアランさんの考えですが…本当にこんなことはあるのでしょうか？」

解説　「しばしば、そういう現象はあります。意識の変革を唱えた人物、イエス、仏陀、ソクラテスなどさまざまな思想家の力は、世界史に大きな影響を与えました。自分個人のなかの目覚めで、モノの見方が変わってしまうということは十分にありえます。」

実況　「なるほど。しかし、今のところ現実主義者さんは、楽に幸福になりたいという一般的な意見を通しているようです。」

ROUND 2 START!

「自然に幸福になりたいとおっしゃってましたが、**実は、心というのは放置しておくと必ず暗い気分に向かうことになっている**んです。だから、常に心を見張っておき、自分で自分を気分のいいほう

にもち上げなければならないんですよ。これは実感できるのではないですか？」

「まぁ、それはわかる気がするかも…。」

「そうでしょう。基本的に人間は物事を悪いほうに解釈する傾向にあります。どんなことに対しても悲しい理由を見つけたり、なにをいわれても傷ついてしまうという人が多いのです。」

☑ **KEYWORD 「悲しみの味を賞味している」**

アランは、**人間の心は放っておくと物事をマイナスに受けとるものだと主張し**、これを「悲しみの味を賞味している」と表現した。人間は苦しいことにあれこれと考えを巡らすので、それによって苦しみがますますひどくなると考えたのだ。

「でも、心の自然な動きに無理やり抗（あらが）うというのはあまり賛同できないわね。実際、どうやってプラス思考にもっていくのよ。」

「方法があるんですよ。たとえば、あなたが職場で抱え込んでいる問題があるとしましょう。それを、帰り道や家までもちかえってあれこれ考えるとします。すると、その悩みが大きくなりますね。」

「そうなると、それがずっと続くように思ってしまうのです。でも、これは『お腹の痛み』と同じで、**時間が来れば解決する**と考えれば、ずっと続くことではないから少し楽になります。」

「でも、**そうやって考えているだけで本当に事態が悪化する可能性だってある**じゃない。周りにも無責任だという印象を与えるかもしれないし、それに…。」

「ちょっと待った！　そうやって自分の身に起こるかもしれないことをあれこれ考え**『想像上の苦痛』**を生じさせると、不幸な気分に

つながるのです。**まだその苦痛は現実には生じていない**わけですよね？」

「まあ…。」

「だからこそ、想像力をコントロールし、自分が**『悲劇の主人公』**になることを避けなければなりません。」

実況　「ここで出てきた、人間は放置しておくと嫌な気分を選ぶというのは、なぜなんでしょうね。」

解説　「これも諸説ありますが、人間の原始時代からの防衛本能らしいです。原始人は自然の猛威に晒されていたので、常に警戒していなければなりませんでした。そのとき、最悪の事態を考えて対処するという防衛本能が身についてしまったそうです。」

実況　「なるほど。そうなると、それは必要な機能だったということですね。」

解説　「ところが、現代を生きる私たちは、いきなり猛獣に襲われるようなことを心配する必要はありません。要するに現代人は、心配する必要がないことを本能的に心配してしまっているのでしょう。現実主義者さんはその典型のようですね。」

ROUND 3　START!

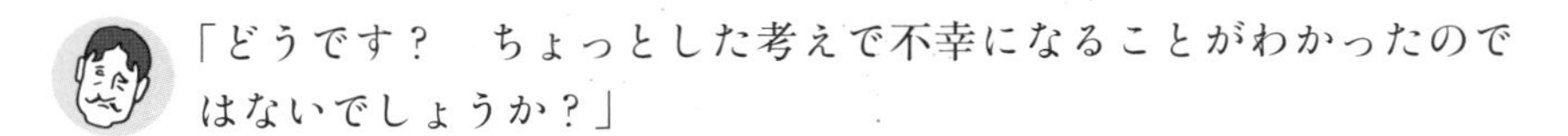
「どうです？　ちょっとした考えで不幸になることがわかったのではないでしょうか？」

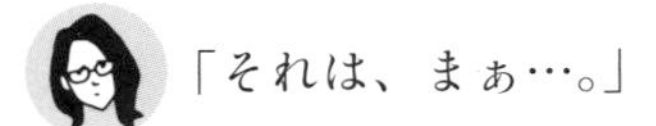
「それは、まぁ…。」

「幸福になるには、心のテンションを上げるのです。つまり、**情念**のコントロールが必要なのです。」

「情念？」

「私はデカルトという哲学者（208ページ）の考え方をよく紹介するのですが、このデカルトが『**情念**』を重んじていたのです。」

☑ KEYWORD　情念

情念とは、感情よりさらに根本的な心の動き。情念には、**驚き**、**愛**、**憎しみ**、**欲望**、**喜び**、**悲しみ**の6種類がある。アランは**これをコントロールすることで幸せになれる**と説いた。

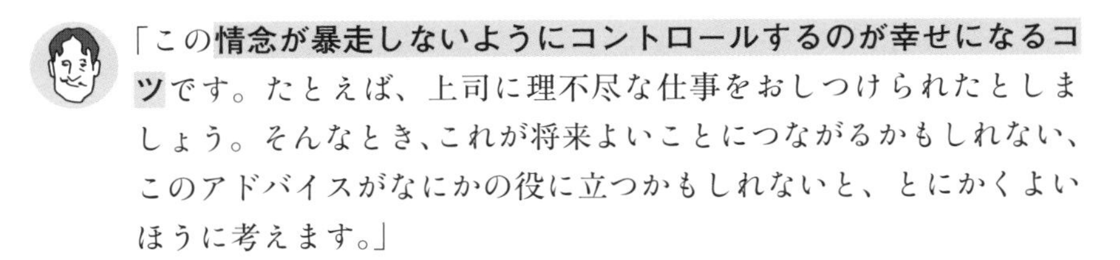
「この**情念が暴走しないようにコントロールするのが幸せになるコツ**です。たとえば、上司に理不尽な仕事をおしつけられたとしましょう。そんなとき、これが将来よいことにつながるかもしれない、このアドバイスがなにかの役に立つかもしれないと、とにかくよいほうに考えます。」

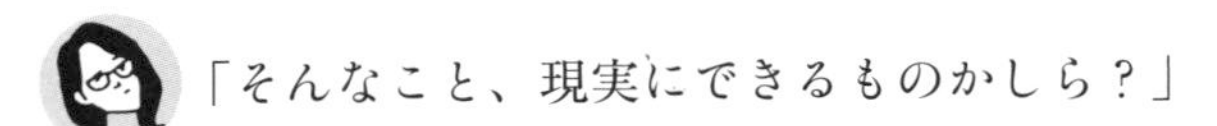
「そんなこと、現実にできるものかしら？」

「肯定的な言葉、想像力を駆使することがポイントです。また体と情念の関係も大切です。**情念のコントロール法として、『まず笑う』**というのもおすすめです。」

「楽しくもないのに笑えっていうの…？　ちょっとわからないわ。ニヤニヤしていて変な人と思われそうだし。」

「いえ、**幸せだから笑うのではなく、笑うから幸せになる**のです。心と体はつながっているので、微笑むことで幸福な気分になるのです。」

☑ POINT　心と体の関係

「楽しいから笑うのではなく、笑うから楽しくなる」というアランの主張は一見すると荒唐無稽だが、現代では科学的な根拠があるようだ。人が笑う際、一般的には脳から笑いの電気的な刺激がきて表情筋が引き上げられるが、逆に、笑いの表情筋を引き上げると、脳のなかに笑いの感情が呼び覚まされるという説もある。

「そうかしら…精神的なダメージを笑って乗り越えるなんて、やっぱりカラ元気で無理しているような気がするわ。」

「大抵の場合、人は、不幸の原因が体にあるとは考えず、すべて精神的なものであると解釈してしまいがちです。しかし、**自分の気持ちがふさぎ込んでいる原因が、心ではなく体にあるとわかれば、気分が少し楽になる**のです。実際、なんとなく気分が重いとき、実は微熱が原因だとわかると、心が少し軽くなるでしょう？」

「確かにそういうとき、ホッとすることはあるわね。その見分け方は難しそうだけど。」

「そう。確かに難しい。ですが、大事なのは、まず**物質である体に原因があって気分がすぐれないのか、精神としての心が原因で気分がすぐれないのかを突きとめる**ことです。そこで、本当に精神的なものだったら、『**上機嫌法**』などの対処法を使うとよいのです。」

アランによる不幸への対処法

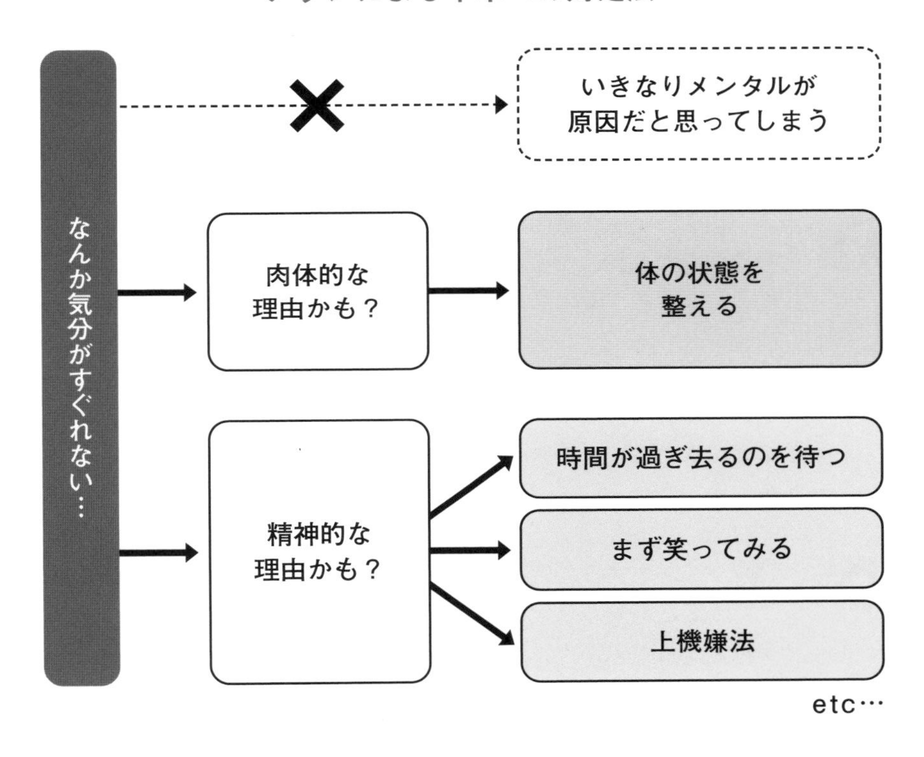

☑ KEYWORD　上機嫌法

アランの唱えた上機嫌法では、**すべてのモノをよい方向に解釈する**。嫌なことがあっても、肯定的に捉え、自分がその嫌なことをどこまでポジティブに変換できるかチャレンジするのだ。さらに上級編では、**嫌な状況になりそうなところに好んで飛び込むべき**だとされた。

「あとは『**グチをいわない**』こともおすすめです。グチるということは、自分で自分の不幸を再確認していることになりますから、それがフィードバックされて、よけいに不幸な気分になります。代わりにささいなことでも感謝して、心をポジティブに保ちましょう。」

☑ POINT　グチをいわないことについて

「**グチをいわない**」ことの効用は現代の心理学や脳科学でも主張されている。不平・不満をいうと、それをもう一度、自分の脳が聞くことにより、ネガティブなアファメーション（自己宣言）となってしまうという説がある。

「心と体のどちらに原因があるか探る、まではまだわかるけれど、上機嫌法あたりからやっぱりやせ我慢のような…。だいたい、どうしてそこまでムリをして幸福でなければならないのかしら…。」

「『**人が幸福になることは義務**』なんです。幸福になったほうがいいのではなく、幸福にならなければならないのです。それは、**あなたが幸せになれば、その波が周りに広がって、周りの人も幸せになるから**です。」

「幸福になることが『義務』…。思ったよりも厳しい考え方ね。いいたいことはわかるけど、正直、やっぱり、うまくいかなかったらどうしようって思う人は多いと思うわ。」

ちなみに　第一次世界大戦が勃発すると、アランは46歳で自ら願い出て志願兵となった。また、戦争がどれほどよくないことかを経験しようとして、わざわざ危険な前線に従軍したという。

実況　「幸福は『なれたらいい』ものではなく『義務』…これは、新しい価値観ですね。ただ、なんだか幸福の自己啓発セミナーみたいにも思えます。」

解説　「というより、現代の自己啓発セミナーにアランの幸福論が多分に含まれているということです。ポジティブ・シンキングの元祖みたいな人ですからね。」

実況　「実際、やれば効果が出るんでしょうか？」

解説　「相当にエネルギーを使って、自己洗脳をするわけですから、朝から晩までやり続ければ、意識の変容は起こるかもしれません。」

実況　「でも、実際難しいと感じる人もいそうではありますね。」

ROUND 3 JUDGE!

アランの哲学

幸福になれない理由は、幸福になろうと決意していないから

アラン（1868〜1951）…フランスの哲学者・評論家。著作『幸福論』は、フランスの思想に大きな影響を与えた。

EXPLANATION

悪い天気でもいい気分で！『幸福論』執筆エピソード

フランスの哲学者アランの本名は、エミール＝オーギュスト・シャルティエです。アランは、パリの学校で教鞭を取りつつ、プロポ（哲学断章）と呼ばれる、短い断章から綴（つづ）られた文章を書きました。**このプロポを集めた書が『幸福論』**です。

アランがこの『幸福論』を執筆したときは、ちょうど雨が降っていました。雨が降っているというのは、一般的にはマイナスな印象がありますが、彼は「**雨が降ると、無数の雨どいから雨音が聞こえることが美しい**」と考えたそうです。幸福になる方法のひとつは、このように**マイナスと思われる状況こそプラスに解釈する**というものです。『幸福論』には心が感情や情念に振り回されないようにする、さまざまな方法が紹介されています。

不幸な気分は、実は体の不調からくることが多い

アランは『幸福論』のなかで、**不機嫌さの原因は体の変調に由来していることが多い**と強調しています。これは、デカルトの『情念論』に由来します。デカルトは、心と体がつながっていて、「体の動きが、精神に影響する」と主張しました。

多くの人は**不幸は気持ちの問題だと考えがち**ですが、アランによれば、不幸への対処には**体の状態も含めたさまざまな問題解決が必要**であるとされます。このように自らの状況が広い視野で見えるようになると、マイナスと思われる状態も冷静に受け止められるかもしれません。

アラン流：気分が落ち込まないための対処法

アランは落ち込んでいる人について「自分に義務を課して、自分をしばりつけている。自分の苦痛を愛撫している」（『幸福論』）と表しています。つまり、**自ら苦しみに浸っているようなもの**だというのです。しかし、現実では落ち込んでしまうこともあるでしょう。こういうとき、アランは、落ち込むときは**「自分の気分」に意識を向けずに「無関心」になると気分が落ち着く**と唱えています。

またアランは、**悲しみは風邪と同じようなものだから、我慢していれば自然に治る**と説きます。**気分が落ち込んだらそれを責めないで、ただ過ぎ去るのを待つ**ことがいいのです。

幸福になろうと決意しないと、幸福にはなれない！

アランの『幸福論』の内容を知ると、意外と実現のハードルが高そう…と思う人もいるかもしれません。しかしアランによれば、**私たちは放っておくと、不機嫌になってしまう**ため、まず幸福になるための決意が必要なのです。

幸福になるには、不幸になるような癖をなくさなければいけません。**悩んでいる理由を追求するのも、よけいに悩みが深くなってしまう原因のひとつ**です。このように、アランの『幸福論』には、たくさんのプロポが散りばめられていますので、ぜひご一読をおすすめします。

ABOUT HEDONISM

楽しいことだけしてれば それでよい?

一度きりの人生、楽しいことだけしたいっしょ!

パリピより

俺はいつも「全力で楽しむ」がモットーっす！　酒飲んだり、友達とはしゃいだり…**なるべく楽しいことだけしたい**と思ってます。

俺みたいなやつ、バカにする人がいますよね。まぁ、実際俺は勉強ができるってわけじゃないっすけど…。でも、なんにも考えてないってわけじゃないんすよ。

日本人はみんな「楽しむ」ってことに消極的すぎるんじゃないかと思うんす。みんな心の底では楽しみたいと思ってるのに、我慢しながら生きて、そのうち死んでいく…そんなの、もったいないと思わないっすか？

「楽しいことだけしてればいい」というのは、私とは真逆の意見だな。いつまでもそういう状態が続けばよいが、人生はいつ災難が起こるかわからんぞ。

私は**「欲望に振り回されないように生きる」ことこそが最も充実した生き方**だと思う。ぜひこれを伝えたいものだね。

THEME 06

楽しいことだけしてればそれでよい？

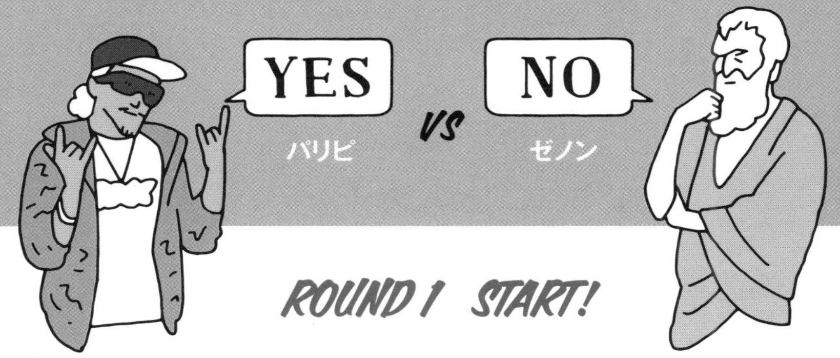

「人生楽しけりゃそれでいいっしょ！　だってみんな楽しくなりたくて生きてんだぜ。酒飲んでバカやって最高〜！　FOO〜！」

「いや、それだけしていればいいわけではないぞ。**バカばかりやっていると、労働や家事の面倒事に耐えられないかもしれない**。そういうときのために、自分を厳しく鍛えておくことが大事なのだ。」

☑ KEYWORD　ストア派

ストア派は、紀元前３世紀はじめの古代ギリシアで、ゼノンによって創始された哲学の一派である。ゼノンは、**理性の力で欲望を抑える禁欲主義**を唱えた。

ちなみに　ゼノンらによる、禁欲主義に重きを置く学派「ストア派」は現在のSTOIC（ストイック）の語源になっている。

「いやいや、それ古代の話っしょ！　俺らの時代は技術がどんどん進んでて、AIとかロボットが面倒事をしてくれる流れだし。この時代に楽しまないなんて損っすよ。」

「ふむ…だが、そうやって楽なほう、楽なほうに流れてばかりでい

られるかな？　人生でつらいとき・面倒なときが来るのは避けられないもの。楽しいことしか考えてないと、ちょっとしたことで耐えられなくなってしまうかもしれん。」

「いやでも、むしろ**日本人は我慢し過ぎて鬱になる人もいる**んだし。やりたいことやってワクワクすることが大事っすよ！」

実況　「パリピさんの主張は、一理あるかもしれません。」

解説　「現代人の視点からの切り込みは説得力がありますね。我慢し過ぎないというライフスタイルは、多くの人の支持を受けそうですね。」

ROUND 1 JUDGE!

ROUND 2 START!

「だが、こういう考え方もできないか？　**ワクワクを求め過ぎるから、それが少しでも満たされないことで病んでしまう**と…。歳を取ればお酒が飲めなくなるし、一緒にバカやってくれる友達も減っていく。そうなったとき、君は不安にはならんのかね？」

「まぁ、それはあるかもですが…。」

「そうだろう。**欲望のままに生きることは、裏を返せばその欲望によって人生が振り回されてしまうこと**なのだ。だからこそ、心を鍛えておいて、『不動心（アパティア）』に到達しておく必要があるのだ。人生はこの先、なにが起こるかわからないぞ。」

☑ KEYWORD　不動心（アパティア）

不動心（アパティア）とは、**欲望などの情念（パトス）から解放される状態になること。人は情念に振り回されると不安になったり、どうでもよいことが気になったりする。**こうした情念に動かされないようにすることで、心の平穏を保とうとする考え方。

「苦しみの先取りってことすか。もし先取りしてなんにも起こらなかったら、苦しいだけ大損ですよね。」

「なんにも起こらないということはないぞ。先ほどもいったが、いつお酒や友達付き合いができなくなるかわからんじゃないか。災害や戦争だって、いつ起きるかもわからん。そのときに心が乱れないよう、鍛えておこうとは思わんかね。」

「でも、それってただの心配性じゃないですか？　あんまり心配し過ぎるとストレスになるっすよ。そんな**深刻に考えてばっかだと、かえってメンタル的にも不健康**っすよ！」

実況　「パリピさん、またも有利なポジションに立ちました。」

解説　「天性の陽キャはなかなか強いものですね。確かに、パリピさんの主張を聞いていると元気が出てくる人も多いかもしれません。」

ROUND 3 START!

「ここでひとついいたいのだが、私はなにもネガティブに生きよといっているわけじゃない。私は楽しいからといって**欲望のままに生きることをやめるべき**だ、といっているのだ。」

「えー？　でもやっぱりわかんないっすよ。**欲望があるから、つらくても今日も頑張ろうって思える**んでしょ。ちょっといいもん食べたり、高級なもの買ったりすることでテンションも上がるし。欲望に従うのは重要っすよ。」

「だが、女の子にふられることだってあるだろう？　いいものが食べられないときもあるかもしれない。**欲望を心のよりどころにすると、それが満たされるかどうかで精神状態が決まってしまう**。それはかなり不安定だといっているのだよ。」

「うーん、まぁ…。」

「だから、私の主張は次の通りだ。我々は人間の魂を高めること、つまり『魂のよさ』だけ気にしていればよい。**それ以外のあらゆる欲望…富や名誉などは、どうだっていいこととして無視すればよい**

のだ…とね。」

「それって、全然おもしろくない人生じゃないっすか⁉」

「いやいや、そうでもないんだな。『自然に従って生きる』ことで、苦しみをなくすことができるのだよ。」

「自然に従うって…森林浴とかっすか。」

「違うんだ。自然というのは、**宇宙の原理**のことで、それは**『理性』**と言い換えられるものだ。つまり**理性に従って、欲望を抑えることで、心の平穏を保とう**というものなのだよ。」

☑ **KEYWORD 「自然に従って生きる」**

ここでいう「自然」とは「理性」のことであり、「自然に従って生きる」というのは、**理性的に生きる**ということである。ゼノンは、理性的に情念を抑えることによって、欲望に振り回されることなく、心の平穏を保つことを目指した。

「理性っすか…やっぱどうも、キツそうに聞こえるけどなぁ。現代人にそんな生き方合うでしょうか。」

「まぁわからんでもないが、想像してごらん。もしも自分が**金持ちかどうかとか、モテるとかモテないとか、名誉があるかないかとか、そういうことに一切振り回されなくなる**という状態を…。これはある意味、最も充実した状態といえるのではないかね。」

「…それはそうかもっすね。でもだからって、理性で常に我慢するってのがつらそうって感想は変わらないっすけど…。ゼノンさんくらいすごい精神力があればよいんですが。便利になってしまった現代では、みんなそう思うんじゃないっすか。」

「ま、ギリシア哲学的には、結局誰も運命に逆らうことはできないので、もし運がよく、いいこと続きならばそれでいいんだが…。運が悪く不幸が訪れるときだって、いつかはあるかもしれん。そのときに備えて、鍛えておくことをおすすめするよ。」

ちなみに　ゼノンはあるとき、転倒しつま先を骨折してしまった。すでに高齢である自分は、ストア派の思想に従えばもう死に際だと考えて、「今逝くところだ。なんで私を呼びたてるんだ」と地面に向かって叫んだという。一説によると、自分で息を止めて死んだらしい。

実況「これは、お互い譲らずという形でしょうか。どちらを取るかは、その人の選択ということでしょうかね。」

解説「ゼノンさんの主張は、その語源になっただけあってストイックです。それを誰もが実行できるとは限りません。ただ、欲望のままに行動していると、快楽に麻痺してしまう可能性がありますから、生活のなかに多少取り入れてみたらいいかもしれません。」

ROUND 3 JUDGE!

ゼノンの哲学

欲望を抑え、
「自然」に従って生きるべき

ゼノン（紀元前335～紀元前263）…古代ギリシアの哲学者でストア派の創始者。禁欲主義を唱えた。

EXPLANATION

「自然」に従って生きよ！

ストア派の考え方によると、**万物は「世界理性」によって秩序と法則を与えられる**とされています。世界理性とは**宇宙の秩序・原理のこと**で、地の果てから目の前の机やコップまで、あらゆる物事はこれに支配されています。ストア派では、**人間はこの宇宙の原理である世界理性からロゴスを分けてもらっている（分有されている）ので、理性的に考えることができる**とされました。

ゼノンはこの**「宇宙の原理」＝「理性」＝「自然」に従っていればうまくいく**と考えたのです（自然に従って生きよ）。

「自然」に従う＝
理性によって、何事にも動じないこと

ストア派によれば、**人は情念（パトス）に動かされてどうでもよいことを気にするため、これに動じないようにすればよい**とされます。この状態は「アパティア（無感動）」と呼ばれました。なかでもゼノンの教えは厳しく、たとえなにがあっても能面のような顔つきをすべきと考えました。

これはかなり極端にも思えますが、ゼノンは、**人生の目的は「徳」（魂のよさ）を高めることだけ**で、それ以外のことは気にしなくていいと考えていたのです。徳とは思慮、節制、正義、勇敢さなどを指し、これが善とされる一方で、無思慮、不節制、不正、臆病などは悪とされました。

つまり、**余計なことには動じず、理性によって自分をコントロールできるようになれば、判断の誤りから生まれる有害な衝動などに悩まされることはない**というのです。

根性の哲学で人生を乗り切る？

ストア派では、**禁欲によって快楽・苦痛に惑わされない境地をつくり上げよう**としました。**快楽は「自己保存の衝動を満たすことから得られる無意味なもの」**とされたので、たとえば、食事は栄養を摂るためのプロテインバーなどで十分。グルメなんてとんでもないというような考え方だったのです。

ある寒い地方では、裸で雪を抱き続けるという修行法もあったようです。通行人が、「そんなことして、寒くないのか？」と質問すると、ストア派修行者は意地を張って「寒くない」と答えたので、「それじゃあ修行の意味がない」と論破したとかしなかったとか…。

ストア派は後世にさまざまな人材を輩出した

現代人から見ると極端にも思えるストア派ですが、**ローマ時代になると大ブレイクします（後期ストア派）**。ここから、**セネカ**、**エピクテトス**、**マルクス・アウレリウス**などが輩出されました。

最後に、**マルクス・アウレリウス**の有名な言葉を紹介しておきましょう。**「今日も私は恩知らずで、凶暴で、危険で、妬み深く、無慈悲な人々と会うことになるだろう…、しかし、何者も私を傷つけることはない…」**――ここまで動じない人間になれたら、人生も変わるのかもしれません。

ABOUT THE IMPORTANCE OF SETBACKS

生きていくうえで挫折は必要か?

挫折なんてしないに越したことないですよ!

能天気マンより

今はスマホでなんでもできる時代ですし、**できることなら挫折はなるべく避けたい**です。

「若いころの苦労は買ってでもしろ」なんていいますが、それで人生終了したら嫌ですし。

こういうこというと「バカっぽい」とか「なんも考えてなさそう」とかいってくる人もいるんですけど、挫折で病んじゃう人もいるじゃないですか。そのほうがもったいないと思いません?

もちろん彼のように、何事もなくうまくいくのが一番ですね。

でも、私は、積極的・主体的に生きるには、逆に**「絶望することが必要だ」**と思っています。絶望というとネガティブな印象があるかもしれませんが、これはある意味、前向きな考え方なのです。

THEME 07

生きていくうえで挫折は必要か？

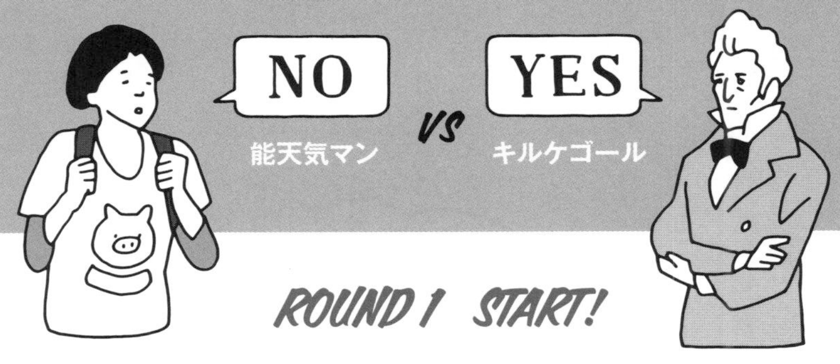

「挫折なんてしないに越したことないですよ。避けられる挫折はなるべく避けたほうが、人生を快適に過ごせると思いますよ。」

「そうでしょうか？　私はむしろ、挫折をするところからが、人生の真のスタートだと思いますよ。」

「最近は便利になりましたし、**わざわざ挫折なんかしなくてもそこそこ生きていけますよ**。スマホで大抵のことはできますから。」

「大丈夫ですかね。そうやって、**享楽的なことだけを求め続けていても、挫折にぶつかる**ときが来ます。**それをごまかして生きているのが現代人**なのです。」

「ごまかしてる？　**むしろ楽しんでる**んですよ。**娯楽はいくらでもあるし、インターネットで聞けばなんでもわかる**し！　こんないいことないじゃないですか。」

「いや、現代人は、**あふれる情報や物質のなかで個性を喪失し、平均化・画一化した状況に置かれている**んですよ。」

☑ **KEYWORD　平均化・画一化、個性の喪失**

実存主義のキルケゴールは、現代でも指摘される平均化・画一化、個性の喪失といった問題について、いち早く指摘していた。人は世間の風潮に流される生き方を避けて、究極的には、個として生きなければならないと考えていたのだ。

「それも悪いことじゃないですよ！　平均化・画一化した状況っていいますが、それってある意味衝突とか少ないでしょう？　**あんまりあれこれ深く考えて争いとかするより、みんなで仲良くのほうがいい**ですよ〜！」

「いやいや、現代人はそれだからダメなんですよ。もっととんがったことをしないと。それでこそ、人それぞれが個性と独自性を発揮して、自己コントロールができる**主体的な生き方**ができるのです。」

「個性があるのは悪いことじゃないし、独自性があるのに反対するわけじゃないですが、無理は禁物ですよ。みんなに合わせて目立たないように過ごすのが一番です。」

「だったら、あなたは、社会のなかでなにかを主張したり、活動したりはしないんですか。」

「今の時代、**ムダに目立つのはリスク**です。上を目指さずに、無理なく生きる。これが現代人の理想の生き方なんじゃないですかね？　**無理に上を目指さなければ、挫折もしません**しね。」

「でも、生きていると社会のなかに否応なしに引っ張り出されますから、そんなゆるい生き方は難しいのでは？　平均的ではない個性は希少価値ですよ。誰とでも取り替え可能な存在になったらおしまいなんじゃないですか。」

「さっきから個性が大事っていいますけど、キルケゴールさんだって匿名でいっぱい本を出していたじゃないですか？　個性が大事ならどうしてわざわざ匿名にするんですか？」

「む…詳しいですね。」

実況　「能天気マンさん、意外と調べていますね。」

解説　「そうですね。ちなみに個性を強調せよといいながら、個性的であり過ぎたキルケゴールさんは、当時のマスコミ（新聞）で叩かれまして、けっこう苦労しているようです。」

実況　「今もSNSで誹謗中傷とか問題になりますね。キルケゴールさん、平均化に言及したり匿名だったり、いろいろと現代を先取りしているような生き方をしていたようです。

ROUND 2 START!

「私が匿名で本を出したのは、インターネットのハンドルネームとはちょっと意味が違うんです。私は、自分の思想を読者に直接押し付けるのではなく、偽名を使ってさまざまな視点や立場から問題を提起しようとしたのです。」

「そうなんですか？　保身をはかっていたんじゃなく…？」

「いやいや、私は、読者に自分で考えることを促したかったのです。こういう方法を『実験心理学』といいます。偽名を使うことで、個人的なことを自由に書けますから、読む人も自分の立場で考えることができたんですよ。」

「そうですか…。キルケゴールさんはとにかく、あれこれ考えたり考えてもらったりするのが好きなんですね。でもそうやって**あんまり深く考え過ぎると、病んじゃいますよ**。僕はそうはなりたくないんで、気楽に生きていきたいです。」

「まあ、それはそれで**絶望**が待ってますけどね。」

「絶望？　そんなわけないじゃないですか。毎日好きなことして楽しく生きてるし、SNSで友達だって多いし、なにも絶望することなんてないですよ。」

「ああ、それは、『絶望に気づいていない絶望』という段階で、いちばんヤバいやつです。**人間は絶望して、それを乗り越えることで本来の自己を取り戻す**のです。ですがあなたは**その手前の絶望にすらまだ自覚していない段階なので、先は長い**かもしれません。」

☑ KEYWORD　絶望に気づいていない絶望（知らないでいる絶望）

キルケゴールによると、「知らないでいる絶望」は最悪である。「知らないでいる絶望」の状態は、自己について振り返る機会が足りないので、自己生成の運動が生じない。キルケゴールは、むしろ**絶望を受け入れて、これまでの人生の成長として捉えることが大切だ**と主張した。

「絶望に気づいていない絶望なら、ずっと気づかないで一生終わればいいじゃないですか。考え過ぎはやめましょうよ。ずいぶんマイ

ナス思考ですけど、過去になんかあったんですか…？」

ちなみに　キルケゴールは当時14歳であったレギーネ・オルセンという女性と出会って婚約したものの、その後、自身にはふさわしくないと思い解消してしまった。彼はこのことをずっと引きずっていたという説もある（94ページ参照）。

「私のことは置いておいて…。あなたは、享楽的生き方というのがどういうものか、わかってらっしゃらないと思います。**享楽的生き方とは、欲望のままに生きること**です。つまり、お金もほしい、地位や名誉もほしい、自由な時間もほしい、やりたいことをなんでもやれるようになりたいということです。**それは、現実的には無理**でしょう？」

「だから、あるとき絶望に直面することになります。そうすると、**『自分が絶望の状態にあることを自覚している絶望』**という段階に入ります。この段階では**快楽や幸運に見放された自分に絶望して、現実逃避する状態**になるのです。」

「いやいや、**お金があって、地位も名誉もあって、自由な時間をもっている人はたくさんいます**よ。あわよくばそういうものに運よくなれるかもしれないし、なれなかったらそのときはそのとき。**今から絶望の準備をしなくてもいいように思います**。今から絶望していたら、どんどんネガティブになっちゃうじゃないですか。」

実況　「そのときはそのとき！　すべての哲学的思考を脱力に追い込む言い分ですね…。ここは両者譲らずでしょうか。」

解説　「そうですね。まだ起こってもいないことを考えないという、ある意味、悟りの境地こそが『そのときはそのとき』です。ただひたすら、今を見つめるという日本文化ならではの反撃といえます。」

ROUND 2 JUDGE!

ROUND 3 START!

「突然ですが、ここであなたにひとつ質問してみましょう。『あれか、これか』…。」

「なんですか、それ…。わけわかりません。」

☑ **KEYWORD 「あれか、これか」**

キルケゴールの「あれか、これか」の「あれ」「これ」とは人生観を意味している。「あれ」とは、**美的（享楽的）な人生観であり、快楽を追求する生き方**である。この人生観は、退屈や空虚に陥り、結局は絶望にいたる。一方、「これ」とは、**倫理的な人生観であり、義務や使命を遂行する生き方**である。これもまた、倫理的な自己を遂行できずに、絶望に陥るとした。

「**享楽的に謳歌**(おうか)**して生きる**。これが『あれか、これか』の『あれ』です。さっきも私が説明したやつですね。**享楽的に生きるのをやめて、倫理的に生きる**、これが『これ』です。この2つなら、あなたはどちらを選びますか？」

「ややこしいなぁ。じゃあ、僕は『あれ』でいきますよ。」

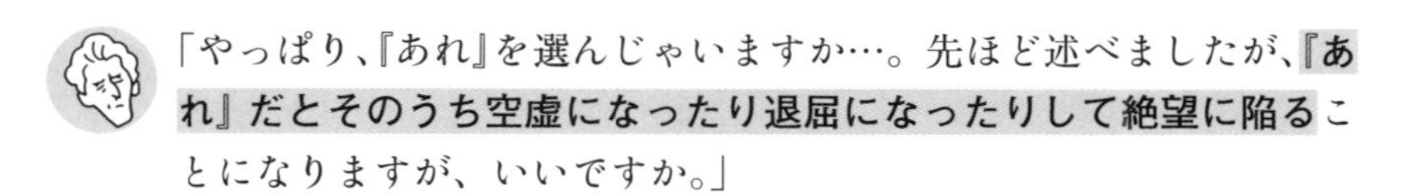

「やっぱり、『あれ』を選んじゃいますか…。先ほど述べましたが、**『あれ』だとそのうち空虚になったり退屈になったりして絶望に陥る**ことになりますが、いいですか。」

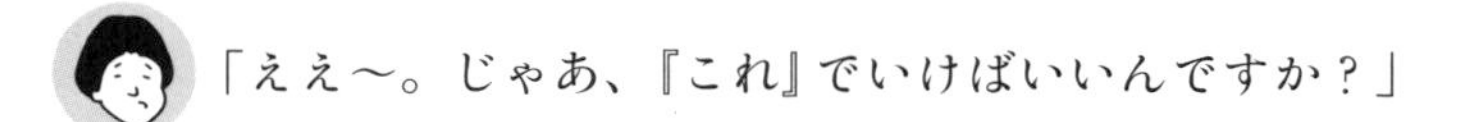

「ええ〜。じゃあ、『これ』でいけばいいんですか？」

「そうですか。しかし、**『これ』では、自分が倫理的な自己を遂行できずに、やっぱり絶望する**ことになりますよ。」

「ええ、倫理的でもダメなんですか？　じゃあ、どうすればいいんですか？　そもそもこんなこと考えて、なにになるっていうんですか…。そのときはそのときで考えればいいんですよ。」

「さっきから**『そのときはそのとき』ばかりいっていますが、それは他人事としての見方**なのです。あなた自身の人生だって、実はあらゆるところで、常に楽しく生きるか、倫理に従うか――つまり**『あれか、これか』の選択に立たされているはず**なんです。**それを直視しないのは、ただの逃避行動**なのです！」

「現実逃避…、でもあなたの言い分では、結局人生は絶望だらけじゃないですか…。」

「ですが少なくとも、あなたは**『気がついていない絶望』から抜け出して、絶望を受け入れる準備ができました**。それは大きな進歩なんですよ。」

「進歩…？　これは進歩といっていいんですか？」

「そうです。たとえ絶望したとしても、何度も学習して、再チャレンジすればいいんですよ。少なくとも、現実の見えていない『絶望に気づいていない絶望』よりはマシです。」

実況　「どうやら、あれかこれかと迷った末に絶望するのが人間だという結論に達したようです。絶望と聞くとマイナスな印象ですが、それを覚悟して前向きに生きられるといいですね。」

解説　「ちなみにキルケゴールは、ヘーゲルの弁証法（28ページ）を『あれも、これも』だといって批判しています。弁証法では物事を客観的に眺めて考えるわけですが、これはある意味、自分の人生そのものに向き合っていないということになるわけです。」

実況　「なるほど、『あれか、これか』で人生を問い直すことを求めているわけですね。」

ちなみに　キルケゴールはコーヒーが大好きで、特に、山盛りの砂糖にコーヒーをかけて溶かすという激甘コーヒーがお気に入りだった。コーヒーカップを50個所持していたという。

あなたは、「絶望」を自覚しているか？

セーレン・キルケゴール(1813〜1855)…デンマークの哲学者。実存主義の創始者とされる。著作『あれかこれか』、『不安の概念』、『死にいたる病』など。

EXPLANATION

波乱万丈だったキルケゴールの人生

キルケゴールの人生は波乱に満ちていました。キルケゴール家はクリスチャンの貧しい農民であり、教会の一部を借りて住んでいました。**あまりに生活が苦しかったので、キルケゴールの父ミカエルは神を呪った**とされます。

その後ミカエルはビジネスで大成功を収めたのですが、呪いが原因か、**7人の子どものうち、キルケゴールと長男以外は34歳までに亡くなってしまいます**。このためキルケゴールは、絶対に自分も34歳までに死ぬだろうと確信していたようです。

婚約したけれど、自分で破棄して絶望…

そんなキルケゴールですが、24歳になると**レギーネ・オルセン**という女性に一目惚れして、婚約にこぎつけました。「絶望」というワードで知られるキルケゴールですが、**意外にも普段はトークがおもしろくて、誰もが心を奪われた**そうです。そんなキルケゴールに対し、レギーネも日に日に愛を深めていきました。

しかし、**キルケゴールは彼女を愛すれば愛するほど、彼女の幸福を願えば願うほど、自分がふさわしくない人間だと思い始めた**らしく、**婚約を破**

棄してしまったのでした。彼は匿名で次々と本を出版しますが、それはすべてレギーネへの**愛のメッセージ**だったとか…。「自分はこんなにダメな人間なのです」と**婚約破棄の言い訳**をしているという見解もあります。

絶望は「死にいたる病」

絶望の多いキルケゴールですが、彼によれば**どんな人でも絶望に陥る**とされます。人間は一生、自分自身と付き合っていく存在ですから、**自分との関係が悪くなる**ことがあります。そのとき**自暴自棄になったり、投げやりになると「絶望」が始まる**のです。

キルケゴールは、この**絶望こそが、人間にとって最も恐るべき、「死にいたる病」**であるといいました。これは、絶望して死んでしまうという意味ではなく、**死にたいけれども死ぬこともできずに生きていく状態のこと**を指しています。

絶望を自覚することから人生は始まる

キルケゴールによれば、絶望にはさまざまな種類があり、**最悪なのは自分が絶望しているのに、それに気がつかない状態**だそうです。しかし、誰でもあるとき絶望に直面しますので、**次に「自分が絶望していることを自覚している」という段階に入ります。**

ここで**現実逃避する状態**に陥ると「弱さの絶望」と表現される状態になります。一方、「強さの絶望」というものもあります。**世の中は自分が優れた人間だと理解してくれないといい張り、文句をつけながら生きる状態**です。ここまで見てくると、どのように進んでも絶望に行きつくようにも思えます。しかし、いずれ絶望に直面することを自覚し、どう身を振るべきかを選ぶことができれば、生き方の指針になるかもしれません。

ABOUT THE PURPOSE OF LIFE

人生に目的は必要か?

意識高い系が「目的をもて」ってうるさいんですよ…

ニートより

僕は人生に目的なんかいらないと思ってます。だから、今のところは自由にニートを満喫してます。でも、かつての友人は僕に説教してくるんです。「お前も目標に向かって頑張れ」って。ヤツは平日は出世のために働いて、休日も資格取得のために勉強してるんだそうです。意識高い系ってやつですかね。

僕はそれだけが生き方じゃないって思います。実際、ヤツも時々疲れてそうなときありますから。ホントは下を見て安心したいんでしょう。**現代社会では将来に希望ももちにくいですし、目的なんかもつだけ損**ですよ。

彼の言い分は、私とはまるで真逆だな。私は「**この世界はすべて目的をもって動いている**」という考えなんだ。

私はなにも「ニートがダメ」というわけではないと思うが、「目的が必要かどうか」については議論を戦わせてみたいところだね。

THEME 08

人生に目的は必要か？

「人生に目的なんか不要ですよ。今の時代、将来には希望がもてそうにないので、**目的なんて掲げるだけ損**です。」

「いやいや、今こそ人生に目的を定めて生きる必要があるんだよ。そもそも、**この世界は『～のため』という目的の連鎖でつながっている**。コップは水を飲むため、椅子は座るためというようにな。人間も『～のため』という目的をもった生き方が必要なんだ。」

「そうですかね？　自分は目的を目指して行動しているのではなく、機械的に行動していますよ。たとえば、目覚ましが鳴るから目が覚める→シャワーを浴びる→空腹だからメシを食うという感じです。」

「それは、私の時代よりかなり後に出てきた思想で、**機械論的世界観**というやつだな。私の考えはそれとは逆なんだよ。人は、起きるために目覚ましをかけている→会社に行く目的でシャワーを浴び身だしなみを整える→栄養補給をするために朝食をとる…というように。これを**目的論的世界観**というのだ。」

☑ KEYWORD　目的論的世界観・機械論的世界観

目的論的世界観では、**世界のあらゆるものは、すべて目的に沿っているとされる**。一方、機械論的世界観では、**「ある原因が結果を生み、その結果がまた原因となって次の結果を生む」**というように、世界は原因と結果の連鎖によって動いているとされ、そこにはなんの目的もない。近代の機械論的世界観によって目的論は批判されたが、現代ではこの目的論は政治哲学などで注目されている。

「現代人は、この機械論的世界観に染まっているので、あなたのように機械的に行動している人が多いのだよ。でも、**そうやってると、ただ生きてただ死ぬという、動物と同じ生き方になってしまう**んだ。人生に意味がなくなってしまうんだよ。」

「その二択なら、自分は、ダラダラと機械的に流されていてもいいと思います。考えによっては、世界は目的をもたず、偶然的に動いているわけですよね？　それに合わせたっていいと思います。」

「しかし、**世界がなんの目的ももたず、同じようなことをただ終わりなく繰り返して動いているように捉えると、虚しく感じる**ものだよ。そこになんらかの意味合いをもたせてはじめて、幸福になれるというものだ。」

実況「さて、人生の目的をもって生きるべきか、そんなものはもたずにダラダラ生きるかの議論になっています。どちらの考えもわかりますが…。」

解説「一般的に、ビジネスマンの自己啓発書などでは、まず自分の目的を決定しろといわれていますね。アリストテレスさんの哲学は、現代の政治哲学にも影響を与えています。」

ちなみに　NHKで放映されたマイケル・サンデル教授の『ハーバード白熱教室』（2010年度）では、アリストテレスの目的論をふまえた共同社会についての内容を扱った。

ROUND 1 JUDGE!

ROUND 2 START!

「別に人生に目的なんてなくても生きていけますよ。自分は家にいてインターネットをダラダラ見ていれば幸福です。YouTube と映画見放題とコンビニ弁当があれば生きていけます。」

「今はそれでいいかもしれないが、**そのうち飽きてやることがなくなると目的を喪失し、不幸になる**だろう。」

「だからといって**目的をもつと、いつか期待を裏切られて、失望し、それこそ不幸になるのではないでしょうか**。たとえば勉強や仕事で目的をもつと、それがうまくいかなかったときの反動で裏切られたときにダメージを受けるものです。」

「それは目的に対する考え方が異なるのだよ。**たとえば『勉強をして知識を得るという行為そのもの』を目的だと考えれば、勉強をしている時点で目的が達成される**ことになる。大きな目的を設定すると同時に、細かい目的も設定することが大切なのかもしれないよ。」

ちなみに　アリストテレスはリュケイオンという学校を開いている。アリストテレスの学派は、学校の歩廊（ペリパトス）を歩きながら議論していたとされていたので、彼らはペリパトス派と呼ばれた。

「でも世の中そんなに意識の高い人ばかりじゃありませんよ。実際、働いていても心のうちでは僕のような生活をしたいと思っている人も多いはずです。**目的やら理想やら、自分自身で自分に足枷を嵌めるような生き方をしなくてもよいのでは**ないでしょうか。」

実況　「ここではニートさんに軍配が上がりそうです。実際、ダラダラ生きるほうが性に合っているという人も多いかもしれませんね。」

解説　「そうですね。アリストテレスさんは、人間が社会的な存在であるとも主張しているので、それとは異なる考え方なのでしょう。」

実況　「なるほど。さて、ダラダラ生きるか、それとも目的をもって生きるか――この話し合いはどのような結末を迎えるのでしょうか。」

ROUND 3 START!

「しかし、君が自覚しているかどうかは別として、人間は**〈○○をするために、□□をする〉という目的をもった形式から逃れることはできない**のだよ。」

「そうでしょうか？　そりゃ、なにかを買うためにコンビニへ行くという程度のことを目的と呼ぶこともできますよ。でも、僕のいっている『目的』は『人生の目的』とかもっと大きなことですよ。**『働くために就職する』とか『稼ぐために仕事に行く』とか、そういう意識高いのが嫌**なんですよ。」

「だからといって、なにも考えずにダラダラ生きるだけではいつか飽きがくるぞ。**あれこれと考えることこそが人間の幸せ**なのだ。私はこれを『**観想**』と呼んだ。それに…私は**別に外に出ろといっているわけじゃない**。君のように1人で引きこもってあれこれ考えているようなタイプは、私の理想とした『**観想的生活**』に向いているかもしれないよ。」

☑ KEYWORD　観想的生活

アリストテレスは、観想的生活を理想とした。観想的生活とは、理性によって世界の仕組みを考えること、つまり哲学することである。アリストテレスは、快楽を追い求める「**享楽的生活**」や、名誉を求める「**社会的生活**」よりも、観想すること、つまり哲学することが最高の幸せであると考えた。

「え？　外に出なくてもいいんですか？　それなら別にニートでもいいってことですか…？」

「そうとも！　私は別にニートは否定していないよ。」

「そうだったんですね。もっと意識高い系かと思ってました。」

「観想的生活によって、人生の目的に開眼するかもしれないしな。ただ、観想的生活を目指すなら、知性を磨くためのよい習慣を身につけることは忘れないようにな。」

☑ KEYWORD　習慣

アリストテレスは、人間の徳を「知性的徳」と「習性（倫理）的徳」の２つに分けた。「知性的徳」は**教育や学習によって身につくモノ**である。一方、「習性的徳」は、**感情や欲望を統制するモノ**で、これは、日常の繰り返し（習慣）によって得られるとした。

実況「おっと、ニートさんが部屋にこもって、ダラダラ哲学をするという結果になってしまいました。」

解説「まあ、私も哲学をやっていますが、ときどき変人扱いされたりしますんでね。大学の哲学科を出ると就職も厳しいなんて話もあります。もちろん、人によりますが！」

実況「ニートさんも将来、哲学に目覚めて、なにかの目的を達成するかもしれません。」

アリストテレスの哲学

世界は目的をもって動いている

アリストテレス（紀元前384〜紀元前322）…古代ギリシアの哲学者。「万学の祖」と呼ばれる。著作『形而上学』、『政治学』、『自然学』など。

EXPLANATION

師匠プラトンの説を論破しようとしたアリストテレス

プラトンの弟子のアリストテレスは、**師匠プラトンの考え**（イデア論）**を批判**しました。そしてプラトンのつくった学校（アカデメイア）を去ったのです。プラトンは、「**アリストテレスはまるで仔馬が生みの母親を蹴り倒して去っていったようだ**」といったとかいっていないとか…。

師匠を批判したアリストテレスですが、**今日では「万学の祖」と呼ばれています。**彼は**自然学（今でいう自然科学など）を研究・整理整頓し、政治学、弁論術、詩学、論理学、形而上学…などを１人で体系的につくった**のでした。

アリストテレスの唱えた「キング・オブ・哲学」とは

アリストテレスの考えのなかでも注目すべきなのは、**形而上学**です。**これは存在の仕組みについて考えるもの**であり、**第一哲学**と呼ばれています。**いわば「キング・オブ・哲学」**なのです。

なぜ「存在の学」形而上学はここまで重視されるのでしょうか？　それは**「存在」があらゆる知識・学問の根本にあるから**です。「存在」以外の知識は、そのジャンルについて研究すれば得られるものですが、**「存在」はその根底にある**ものです。（存在については、ハイデッガーが別な角度から探求しました→109ページ参照)。

実際、この「存在」について考える形而上学は、今日の物理学・化学など、幅広い学問に影響を与えています。

すべての存在は「目的」を目指して動いている?

形而上学のキーワードとして「形相」(エイドス)と「質料」(ヒュレー)があります。アリストテレスは**自然界に存在するすべてのものは、材料である「質料」が、設計図である「形相」によって変化してできている**と考えました。これにより、**プラトンが唱えた「現実世界を越えたイデア」の存在を否定した**のです。

この考え方によると、たとえば「質料」としての鉄は、「形相」によって金槌や釘に変化します。言い換えれば、**「鉄は金槌や釘になるために変化している」**と考えられたのです。このように、**「あらゆる物事は目的をもって動いている」という考えを目的論的世界観と呼びます**。

人生の「究極の目的」とは

私たちの生活もまた、因果関係とさまざまな目的でつながっています。筋トレは健康のため、健康は仕事のため、仕事はお金のため、そして、お金はまわりまわってフィットネスクラブの会費を払うため…。よく考えると、人生とは堂々巡りです。

しかしアリストテレスは、そういう堂々巡り的な生き方は虚しいと述べ、もっと大きな目的があると説きました。このような難題について考えることを、**アリストテレスは「観想」すると表現し、「観想的生活」を勧めた**のでした。

THEME 09

現代人

現状維持人間

哲学者

存在論者

ABOUT LIVING WITHOUT OVERTHINKING

覚悟をもつことがそんなに大事?

ダラダラ生きていたいと思ったっていいじゃないですか。

現状維持人間より

有名な起業家やら成功者やらはよく「覚悟を決めろ」「覚悟をもって仕事しろ」といいますが、僕の考えは真逆です。

どんな人だって、最後は死ぬんです。**そう考えたら、別に無理やり生き急ぐ必要なんてない**でしょう。

「明日やれることは明日に回す」――そういう生き方があったっていいじゃないですか？　僕に反対する人もいるかもしれないけど、本当はみんな、**現状維持でダラダラ生きる**のも悪くないと思ってると思いますよ。

彼は「どうせみんな最後は死ぬんだから」という風にいっているが、**彼はまだ真の意味で「死」に正面から向き合っていない**かもしれん。

私たちは「**いま存在していること**」を当たり前に考えがちだが、それを今一度見直してみることが必要だと思うよ。

THEME 09

覚悟をもつことがそんなに大事？

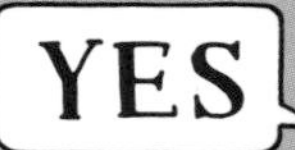

NO 現状維持人間

YES 存在論者

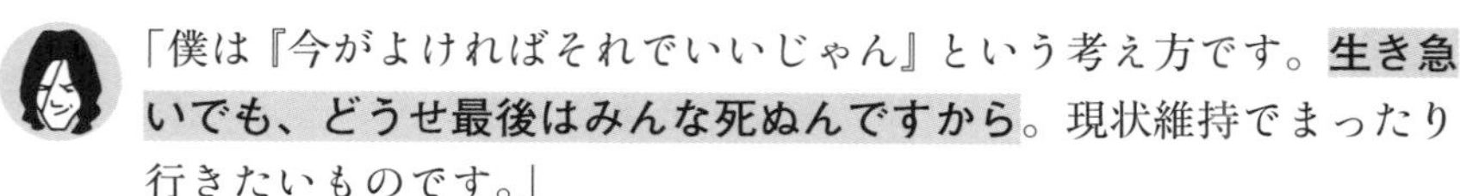

「僕は『今がよければそれでいいじゃん』という考え方です。**生き急いでも、どうせ最後はみんな死ぬんですから**。現状維持でまったり行きたいものです。」

「その考え方は、なかなか楽観的だな。『今がよければそれでいい』といっているが、そもそも君が『今存在していること』自体、本当はすごいことだとわかっているかい？」

「うーん…どういうことですか？」

「君は今ここにいるのが当たり前のように考えているようだが、最初からこの世になにも存在しない可能性もあったわけでしょう。この世界があって、私たちが存在しているのはすごいことなんだ。」

「『存在する』とか『ある』なんて当たり前のことじゃないですか。わざわざ、『うわぁ！　あるある！』とか驚かないですよ。」

「では、質問を変えてみよう。**『ある』とはどういうことなのかを説明してみてくれ**。コップがあるとか、眼鏡があるとかの『ある』のことだ。」

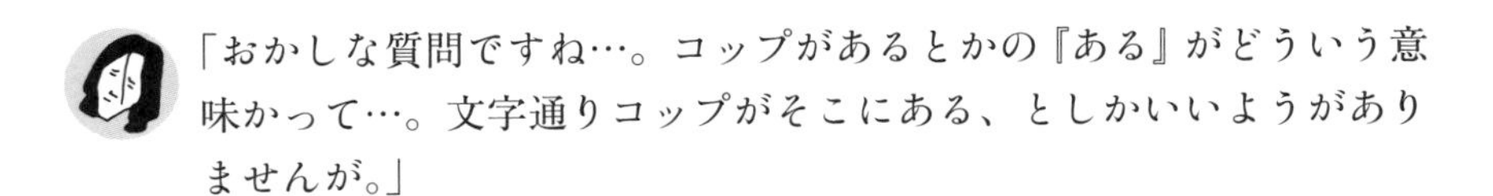

「おかしな質問ですね…。コップがあるとかの『ある』がどういう意味かって…。文字通りコップがそこにある、としかいいようがありませんが。」

「そう、うまく説明できないだろう。実のところ、君はそもそも**『ある』『存在する』とはどういうことか、わかっているようでわかっていない**んだよ。実は哲学者も、そのことについてちゃんと考えていなくてね。それでハイデッガーという哲学者が、はじめてその答えを出そうとしたんだ。」

マルチン・ハイデッガー
(1889 ~ 1976)
ドイツの哲学者。存在論哲学を展開した。
主な著書に『存在と時間』がある。

「彼は『ある』ってどういうことだろう？　…と考えたわけだが、**こうやって存在について考えると、実は人生が輝いてくることもわかる**んだよ。」

☑ **KEYWORD　存在忘却**

ハイデッガーは、今までの哲学が「存在」に対する問いに正面を切って追求していなかったことを指摘した。この状態を「存在忘却」と呼んでいる。

「そうですかね。私たちにとっては自分も世界もあるのはもう当たり前なのだから、それがどういうことか考えても、人生が輝くとはとうてい思えませんが…。」

実況　「さあ、『存在』についての議論が始まりました。確かに、私たちの生きる世界…宇宙や星々があって、私たちがいるというのは、不思議といえば不思議です。これは物理学の問題なのですか。」

解説　「いえ、そうではないようです。物理学では宇宙はビッグバンで生まれて存在すると説明づけられていますが、それでも『なぜビッグバンはあるのか』という問いは残るのです。」

実況　「キリがない哲学ですね…！　でも、これ、もしかするとずっと答えが出ないような気がするんですが。現状維持人間さんのいっていることは、ある意味正しいようにも思えます。」

ROUND 1 JUDGE!

ROUND 2 START!

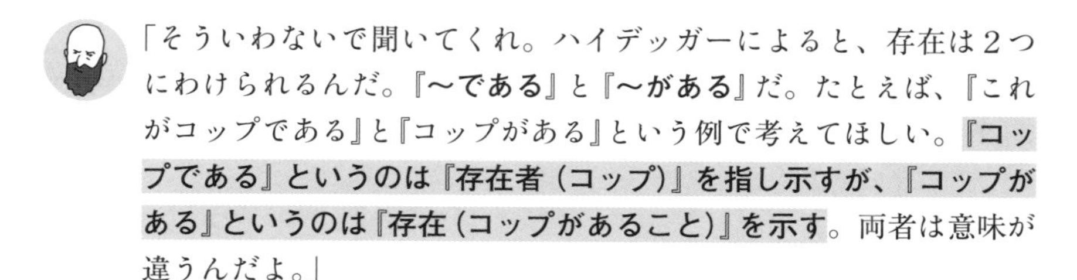

「そういわないで聞いてくれ。ハイデッガーによると、存在は２つにわけられるんだ。『**～である**』と『**～がある**』だ。たとえば、『これがコップである』と『コップがある』という例で考えてほしい。**『コップである』というのは『存在者（コップ）』を指し示すが、『コップがある』というのは『存在（コップがあること）』を示す**。両者は意味が違うんだよ。」

☑ KEYWORD　存在論的差異

ハイデッガーは、「存在者」（コップや机など存在する対象）と「存在」は異なるものだと唱えた。「存在」それ自体は「存在者」ではないので、「存在」をコップや机の間に探し求めても見つからない。ありとあらゆるものを、「あらしめている」のが「存在」である。ハイデッガーは、この「存在」はどのようなものかを問い続けた。

「たとえばコップは指させるけど、存在そのものは指させないんだ。あらゆる存在者には、存在が隠れているんだが、それを指し示すことができない。」

「コップというモノは指させるけど、コップの『存在』は指し示せない…。これがいったい僕にどう関係があるんです？」

「**なぜ君が『存在』を意識せず、感動できないのかに関係する**のだよ。コップどころか、この世界のすべてにおいて『存在』という共通点は変わらないんだ。その存在のなかに、私たち人間もいつの間にか投げ出されている。だから、君たちは存在について理解できないんだよ。」

☑ KEYWORD　世界内存在

ハイデッガーは、**自分が気づいたら世界のなかに投げ出されていること、そして、それを既成の事実として見出すよりほかない人間のあり方**を「世界内存在」と呼んだ。

「僕たちが『存在』について、なぜピンとこないのかはわかりました。でも結局、今存在することについて考えることにどんな意味があるのかはわかりませんよ。」

「いやいや、だから、君は毎日をムダに生きてしまっているんだよ。いつの間にかこの世界に投げ出されて、『存在』することが当たり前だと思ってしまう。その存在の不思議・神秘に目を向けないから、

感動がなくなってきているんだ。」

☑ **POINT　なぜ人は「存在」を当たり前だと思ってしまうのか？**

ハイデッガーによると、「存在者」（人、動物、机、コップなど存在しているモノ）が姿を現していると、「存在」はその後ろに隠れてしまう。だから、古代の哲学から「存在とはどのようなことか」についてずっと問われなかったという。

「それに、ハイデッガーいわく、存在とはなにかという問いかけをできるのは人間だけなんだ。ほかの動物はこんなこと考えない。人間は存在というものについて、うすうす感づいているんだから、存在とはどういうことかを心に問いかけてみてほしいんだよ。」

「まぁ、存在することを当たり前だと思っているから感動がないとか、存在について考えられるのは人間だけだというのはちょっとわかります。ただ…だからといってこんなに難しいことを考えるべきだとは思えませんね。」

実況　「確かに、今回の話はなんだか難しい話ですね。」

解説　「そうですね。哲学は人生論だけではなく、認識論・存在論などの分野がありますが、特に存在論はハイレベルだといえるかもしれません。」

ROUND 2 JUDGE!

ROUND 3 START!

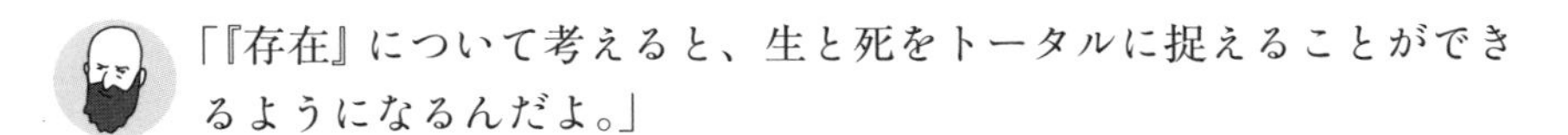

「『存在』について考えると、生と死をトータルに捉えることができるようになるんだよ。」

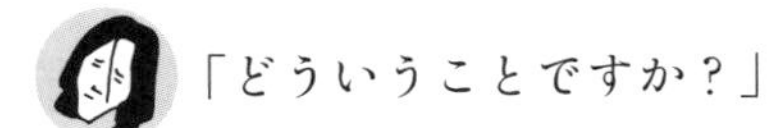

「どういうことですか？」

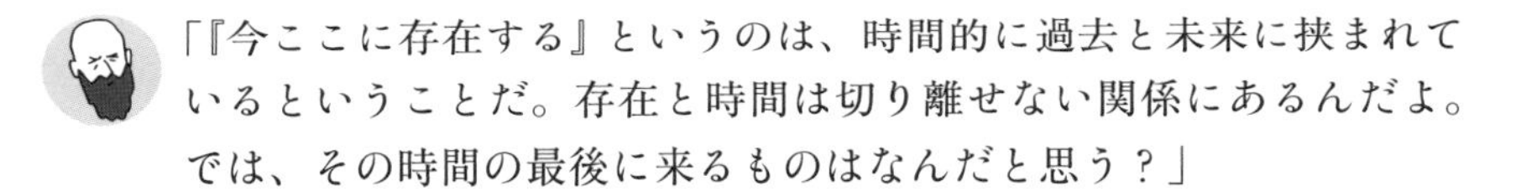

「『今ここに存在する』というのは、時間的に過去と未来に挟まれているということだ。存在と時間は切り離せない関係にあるんだよ。では、その時間の最後に来るものはなんだと思う？」

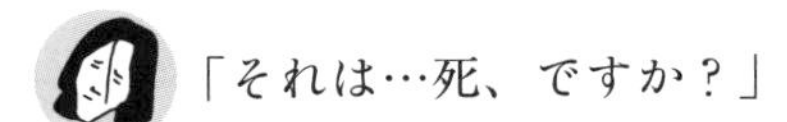

「それは…死、ですか？」

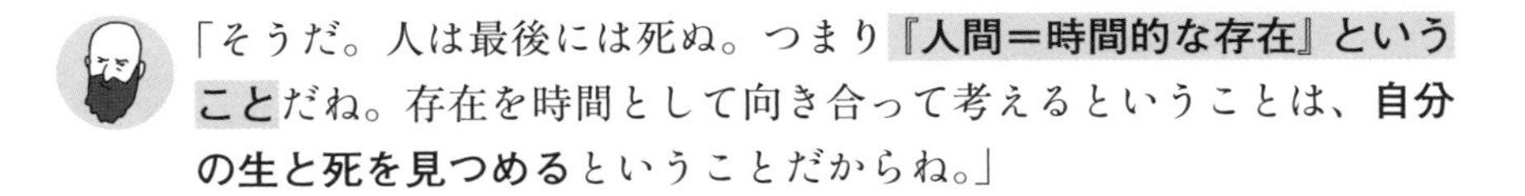

「そうだ。人は最後には死ぬ。つまり**『人間＝時間的な存在』ということ**だね。存在を時間として向き合って考えるということは、**自分の生と死を見つめる**ということだからね。」

ちなみに　ハイデッガーは存在と時間についての哲学を唱えたが、これは、音楽からもヒントを得ている。「音楽は時間のなかで凝縮されている」という考え方がヒントになったらしい。

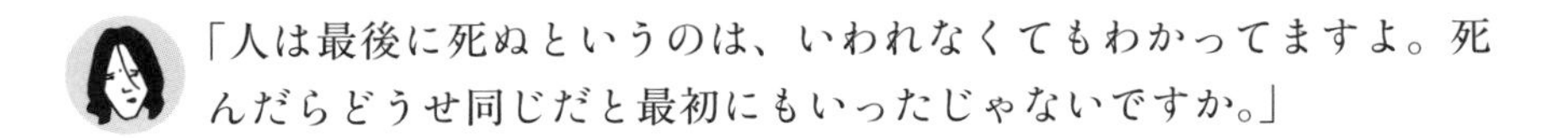

「人は最後に死ぬというのは、いわれなくてもわかってますよ。死んだらどうせ同じだと最初にもいったじゃないですか。」

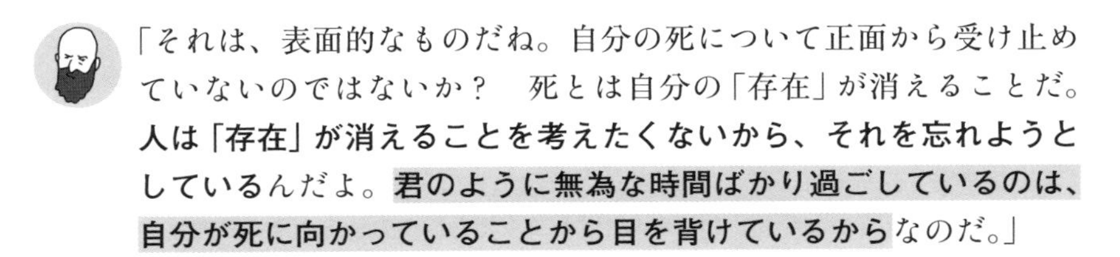

「それは、表面的なものだね。自分の死について正面から受け止めていないのではないか？　死とは自分の「存在」が消えることだ。**人は「存在」が消えることを考えたくないから、それを忘れようとしている**んだよ。**君のように無為な時間ばかり過ごしているのは、自分が死に向かっていることから目を背けているから**なのだ。」

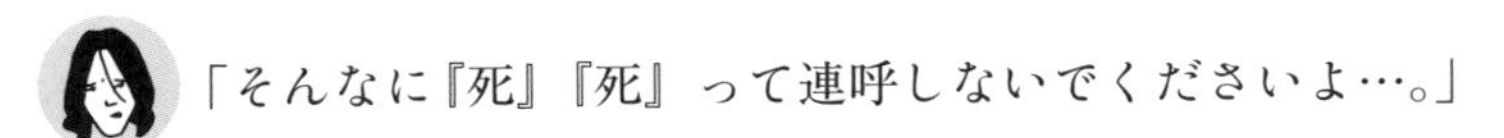

「そんなに『死』『死』って連呼しないでくださいよ…。」

「ハイデッガーは『死』を分析して、次のように考えたんだ。**死は誰にもかわってもらえないし、死ぬときは孤独で、この世界から消える**。そして人は誰でも死ぬことをわかっているが、**誰もがそれは『もっと先のことだろう』と考えている**。次の瞬間には死ぬことだってあるかもしれないのにね。」

☑ KEYWORD　死の分析

ハイデッガーは死を分析し、次のように分類した。
①死の交換不可能性…死は交換不可能であるというのは、自分自身の死は誰とも交換できないということを意味する。
②死の没交渉性…死が切迫するとき、人間は孤独であり、他者と共通の存在ではなくなる（没交渉）。
③死の確実性…人は普通の状態では、自分が死ぬことを深刻に考えていないが、心の奥底で自分も必ず死ぬとわかっている。
④死の無規定性…多くの人は、「自分もいつか死ぬだろうけれど、もっと先のことだ」となんとなく思っている。次の瞬間に死ぬかもしれないが、このことを人は隠蔽（いんぺい）して生きている。
⑤死の追い越し不可能性…死が先にきて、ほかのことが起こるということはなく、死は最後にくる。それを誰も追い越すことができない。

「なんだか怖くなってきました…。あえて『死ぬ』ことについて真剣に考えろってことですか？　かえって生きる気力がなくなるような気も…。」

「いや、ここからやる気が出てくるんだよ。**今この瞬間の『存在』は、やがて『存在』が消える『死』と表裏一体**なんだ。**それを先駆的に覚悟すると、今の瞬間が輝いてくる**んだよ。」

☑ KEYWORD　先駆的覚悟性（先駆的決意）

ハイデッガーは、さまざまなものや人と関わる人間の存在の仕方を「世界内存在」と表現したが、この世界内存在としての人間は、平均化され、周りに流される「ひと（世人）」に頽落（たいらく）している。ハイデッガーによると、このあり方は非本来的であり、人間が本来的な自己を取り戻せるのは、自己が「死への存在」であることを自覚し、主体的に生きる決意をしたときである。

「**君はいつか確実に死んで、存在も消えてしまう。でも今この瞬間は『存在』している**んだ。**それが大きなプレゼントだと思えると、『生きること』と『死ぬこと』の両方が大切に思えてくる**んだよ。」

「まあ、それはそうかもしれません…。死ぬことを覚悟すると、この瞬間に存在していることがすごいような気はしてきました。でも、なんか怖いですね…。」

「そうかもしれない。だが、生きているうちに、死を含めて考えると、『存在する』（ある）ことの重要さがわかるかもしれないね。そうすれば、きっと人生をムダに消費することもなくなるさ。」

実況　「なるほど。今自分は確実に『死』に向かっているんだということを覚悟すると、今この瞬間を大切に生きられるのかもしれませんね。」

解説　「それにしても、やはり存在論というのは、手強いですね。これをきっかけに、じっくり存在や時間について考え直してみるのもよいかもしれません。」

ハイデッガーの哲学

「存在」について考え、死を覚悟せよ

マルチン・ハイデッガー（1889〜1976）…ドイツの哲学者。存在論哲学を展開。著作『存在と時間』など。

EXPLANATION

あらゆる物事は、互いにつながりをもって存在している

ハイデッガーは、**道具のあり方をもって世界のあり方を分析**しました。たとえば、私たちの生活では、「**充電器はスマホを充電するためにある**」「**スマホはアプリを使うためにある**」というように**あらゆる道具はほかのものとつながりをもっており、孤立して存在してはいません**。このような考え方を「道具連関」と呼びます。

しかし私たちは、日常で身の周りにある道具について、いちいちその関連性を考えたりはしません。マグカップなどのモノは、一般的には単なる商品です。**しかし、そのマグカップが彼女（彼氏）からもらったプレゼントだとするならば、たとえそれが量産品であっても、**「**取り替えの効かない自分だけのもの**」**という思い入れができます**。割れてしまったら、また通販で頼めばよいというものではありません。

このように、**あらゆる存在は「自分」を通じた意味づけをもっている**のです。その観点から世界を読み直すと、新たな人生が見えてくるかもしれません。

「存在」について考えるのは人間だけ

ハイデッガーは、「**人間がほかの物事との関係のなかで生きている存在**

である」ということを、「世界内存在」と呼びました。また「存在について考える存在」である人間は「現存在」（ダーザイン）と呼びました。ハイデッガーは、**ほかのさまざまな意味合いでの「人間」とは区別して表現するために、あえて「現存在」という言葉を使った**のです。

存在について考えると「死」についてわかる

ハイデッガーによれば、**現存在は過去と未来の緊張のなかで生きている**とされています。では、未来の先にあるものはなんでしょうか？――それは「死」です。

「死」は誰にとっても避けられないものですが、**誰もが自らが「死への存在」であることを忘れようとしています**。そして日常生活ではゴシップのネタなどを好奇心のなすがままに追いかけ、それについて友達とおしゃべりをしたりするのです。このように**世間的なレベルにあわせて生きている存在**は「ダスマン（ひと）」と呼ばれました。

死への覚悟をもつことで、本来の自己を取り戻せる！

「ひと」は、「死への存在」であることを忘れようとしてこのような行動をとりますが、それは**人々が「死」と向き合っていないから**です。

ハイデッガーによると、現存在は「**自分が死にゆく存在である**」という事実を受け入れ、**死への先駆的覚悟性をもつことで、本来の自己を取り戻す**とされます。これによって、生がありありと見えてくるのです。ハイデッガーの哲学は非常に難解なので、『存在と時間』を読むときは気をつけましょう。

Society

第２章

社会

Understanding Philosophy
through Debate

ABOUT VALUING MORALITY

人間は道徳を重んじて生きるべきなのか?

道徳にしばられすぎず、自由に生きたいものです。

自由人より

道徳を守るのはよいことだとは思うんですが、**しばられすぎるのは考えもの**です。

たとえば芸能人の不倫問題なんかは、「不道徳だ」とかいってやたらと叩かれたりするものですが、本来は当人どうしで解決すれば、それでよいことじゃないですか。

「ウソをつく」ことも一般的には不道徳ですが、場合によってはウソが優しさになったりするでしょう？　**道徳なんて時と場合によって変わるんだし、あんまりしばられすぎずに自由に生きてもよい**と思います。

私の主張は彼とは反対で、**「時と場合によって変わる」ようなものは真の道徳だとは思っていません。**

それに彼は「道徳にしばられる」と表現していますが、**道徳に自律的に従うことは自由である**ともいえるんですよ。こうしたところを彼にも伝えたいですね。

THEME 10

人間は道徳を重んじて生きるべきなのか？

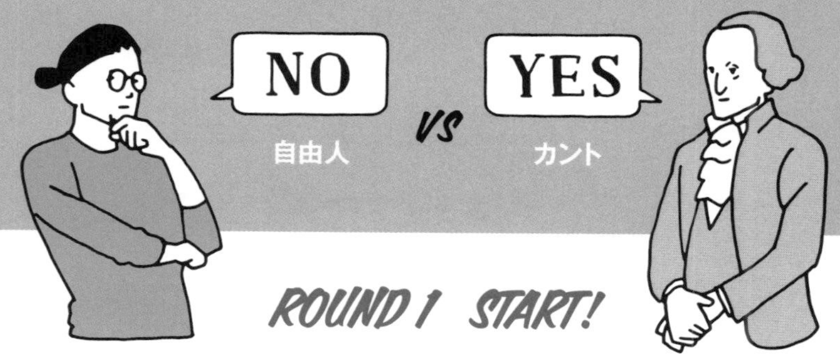

「道徳というのは内面的な基準ですから、法律を守っていれば十分だと思います。**『法律を守ることは最低限の道徳』**といわれますが、それでいいんです。**誰にでも共通する正しい道徳なんてない**のですから、あまりしばられるのも考えものです。」

「私はそうは思いませんね。**道徳というのは、人間の普遍的な内面の声であり、誰にでも共通するところがある**はずです。」

「内面的な声…それも住む場所や時代などによって、変わってしまうと思います。人それぞれですよ。」

「しかし、たとえば**『ウソをつくのはいけない』**という基本的な道徳のように、いつでもどこでも誰にでも共通する道徳もありますよ。実際、私はこういう普遍的な道徳の規範として**『道徳法則』**というものを提唱しました。」

☑ KEYWORD　道徳法則（道徳律）

道徳法則は、カントが提唱した**「道徳的行為を行うための普遍妥当的な規範・原理・原則」**である。これは個人の私的な主観的な決めごとではなく、**客観的法則**とされた。またこの法則は誰かから命じられるものではなく、人間自身が自分の意志で引き受けるものとされた。

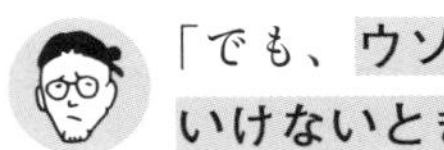

「でも、**ウソも方便という言葉があるように、ウソをつかなければいけないときもあります**。あまり道徳ばかりを気にしていたら、かえって現実社会が円滑に進まなくなってしまいますよ。」

「いえ、**道徳的な行いとは条件に左右されないもの**です。たとえば、『もし謝礼がもらえるなら、人助けをする』といった条件付きの行いは、私は真に道徳的とはいえないと思います。」

「条件付きはダメなんですか…。」

「そうです。**『どんなときにもウソをつくことなかれ』**というように**無条件で自らに命じることで、それが法則として心のなかに響いてくる**のです。私はこのような無条件の命令は定言命令（定言命法）、条件付きの命令は仮言命令（仮言命法）と呼びました。」

☑ KEYWORD　定言命令（定言命法）

定言命令（定言命法）とは、**「汝、無条件に～せよ」**という形で命じられる道徳法則の命令形式である。一般に、倫理的命令は、**「もし××ならば～せよ」**という条件付き命令の形式をとるが、これは仮言命令（仮言命法）と呼ばれる。たとえば、「よいことが得られるなら、人を助ける」のような場合は、条件付きであり、カントはこれを道徳的とはいえないとした。なぜなら、条件によって人を助けないこともあるからである。一方、定言命令は**「無条件に人助けよ」**ということなので、これに従うと常に人を助けることになる。カントは、定言命令こそが道徳的命令であると考えた。

「いや、それはおかしいですよ。たとえば『無条件にウソはついてはいけない』という定言命令があったとしますよね。そこで**誰かが『この髪型似合ってる？』と聞いてきたとして、似合ってないなぁと思ったときは素直に『似合ってない』といわなければいけないん**ですよね。それは**さすがに厳しすぎませんか？**」

実況　「ここでは自由人さんが有利そうです。カントさんの唱える道徳というのは、本当に厳しいものなんですね。『ちょっと道徳的に生きよう』という程度ではないようです。どうしてそこまで、道徳にこだわるのでしょうか。」

解説　「それは、カントさんが『永遠平和のために』という政治哲学の本を残していることとも関係していると思います。そのなかで彼は、多くの人が道徳的になることで、永遠平和の世界が来るのだと説いています。」

実況　「それは大きな話ですね。確かに世界中の人が道徳的になれば、永遠平和が実現するかもしれませんね。でも、ここまで道徳的に生きようとするのは、なかなか骨が折れますね。」

ROUND 2 START!

「しかし**道徳法則について人々が意識するようになれば、それによって迷惑行為や不道徳な行いが減る**のも事実です。それに、**道徳的に生きるということこそが人間の尊厳**であり、人間が自由になるということなのです。」

「そうですか？　いや、道徳的に生きると、むしろ息がつまって不

自由になるような…。」

「いや、人間は、自分で自分をコントロールしているときにこそ自由なのです。動物は本能に従って、『役に立つから助ける』『腹が減ったら食べる』など条件付きの行動しかできません。**人間は自分の自由意志によって欲望をコントロールできるという意味で、自由**といえるのです。」

「そうかもしれませんが、実際**個人の目線で考えると『あれもダメ、これもダメ』と行動を制限されるのは嫌**だと思いますよ。」

「道徳的に行動するというのは、**本能を自らコントロールできるということなのですから、道徳的に行動するほうが自由**なんですよ。カロリー高めな料理を食べたいという欲望を、理性の力で抑えるということだって道徳です。ここに人格の尊厳があるわけです。」

☑ **KEYWORD 「人格の尊厳」**

カントは、**自らが立てた道徳法則に自律的に従うことができることこそが人間の自由**であり、それゆえに人格の尊厳があるとした。

実況 「普通は、欲望を満たすことが自由だと思われていますが、カントさんの自由はちょっと違うようですね。」

解説 「確かに。欲望を自由に満たすことは動物と同じだということですね。動物は本能にコントロールされているから、その点で自由をもたないわけです。一方で、人間は自分自身を自律的に操れるわけですから、それこそが人間らしさであるということですね。このように、カントさんによれば自己管理も道徳的行為のひとつであるようです。現代のビジネスマンにも役に立ちそうな話ですね。」

ROUND 3 START!

「でも、**道徳は、使い方によっては危険性がある**と思います。というのは、**道徳を使って相手を屈服させることもできる**からです。」

「どういうことでしょう？　道徳に屈服させられたなら、それは道徳的ではなかったということだから、しかたがないでしょう。」

「いや、そうとは限らないのです。今、会社でのパワハラ問題が起こっているのも、上司が部下に道徳的な正論をぶつけてくるのがひとつの原因だったりします。**たとえそれがもっともな道徳だったとしても、それを武器として使われるという危険がある**のです。」

「そうなのですね…。しかし道徳は自分の内面での基準だから、相手にゴリ押しするものではありません。」

「カントさんがそう考えられていたとしても、実際にゴリ押しされることがあるんですよ。また、その逆もあって、**弱い立場にある社員がグループになって上司をつるし上げるときなど、道徳を武器とすることだってあります**よ。」

☑ KEYWORD 「奴隷一揆」

弱者が強者を道徳で批判し、立場を逆転させることを、哲学者のニーチェ（12ページ）は「奴隷一揆」と呼んで批判した。

「それは、道徳の使い方の問題ですね…。そうやって道徳を権力的に使うのはよくないでしょう。しかし、それほど**道徳に力があるということは、使い方は別にして、道徳そのものに依然として真理がある**ということになります。適切に使うことを前提として、やはり、道徳を重んじることは重要だと思います。」

実況 「これは意見が分かれるところかもしれません。ニーチェさんは別のところで登場していますが、こんなことをいった人なんですか。」

解説 「そうなんです。道徳批判という内容です。これは哲学史上でも、さまざまに論じられています。」

実況 「道徳は大切ですが、使い方には吟味が必要な場合もあるかもしれませんね。」

ROUND 3 JUDGE!

ちなみに　カントは友人たちと食事での会話を通じて、世界情勢など幅広い話題にふれる博識な人だった。ただ、哲学の話題は避けていたようで、人と語りながら哲学について考えるというタイプではなかったらしい。

本当の自由とは、自分で自分をコントロールできることだ

イマヌエル・カント（1724〜1804）…プロイセン（ドイツ）の哲学者。『純粋理性批判』、『実践理性批判』、『判断力批判』の三批判書を発表した。

EXPLANATION

「経験できないもの」は「ない」のと一緒!?

カントは、人間の理性能力そのものを吟味する『純粋理性批判』を著しました。これは大変難しい哲学ですが、一言でまとめると、「**人間は世界のことがどこまでわかるのか**」ということを線引きした哲学です。

カントは、それまで信じられていたような神、霊魂などについて、「**人々はこれを経験できないため、知ることができない**」と証明しました（後にまた論破の対象になりましたが…）。

道徳を実践するためには、やっぱり神や霊魂はあってほしい

このような「経験できない領域」は**物事を科学的に認識しようとする理性（理論理性）からではわかり得ないものの、道徳的な物事を実践するためには必要**です。カントは、このような**道徳的実践に関わる理性**（実践理性）の方向から、もう一度、神・霊魂、自由などについて追求しました。

なかでも、「**人間に自由があるのかないのか**」というテーマはカントにとって特に重要でした。カントは自由について考えるなかで、人間の自由には「**ほかからの拘束を受けないという自由**（外的自由）」と、「**自分の意志を自発的に決定できるという自由**（内的自由）」があると唱えました。

そのうえでカントは、**欲求に従って思うがままに行動することは「意志**

の自発性」がなく、自由ではないと考えました。欲望に従うというのは、言い換えれば欲望に拘束されているわけですから、本能に操られる動物と同じになってしまうというわけです。

道徳に普遍的な法則を打ち立てた

カントは自由を「単に欲望のままに動くこと」ではなく、「理性の命令に従い意志の自律をすること」であると示しました。ここでいう「自律」とは、「自分で自分の欲望を抑えてコントロールすること」です。

カントは道徳法則をうちたて、これについて自分の決めた行為をみんなが同時にやってみたときに、世の中がよくなるかどうかを考えて行動せよと述べています。たとえば、「ゴミをポイ捨てする」という行為を、常に同時にみんなが行ったとします。すると、世の中がゴミだらけになって、もう「ゴミをポイ捨てする」ことすらできない社会になります。カントはこのように考えて、道徳的に行動するよう唱えたのです。

無条件によいことをするのが道徳的？

カントによれば、道徳的な行動は、無条件の命令（定言命令）でなければならないとされます。道徳はどんな時も変わらずに存在しえるものであり、また欲望に流されないように、「命令」という形で現れるのだと考えたのでした。

またカントは、結果より動機を重視しました。自分が不利益を被っても、善を遂行するという態度を強調したのです（動機説）。カントの道徳観は厳しくも思えますが、結果的な利益が重視（結果説）されがちな現代では、参考になる部分もあるかもしれません。

ABOUT RELATIVISM

「人それぞれ」はよいことか？

大体のことって、「人それぞれ」で片づきませんか？

人それぞれ論者より

SNS なんか見てると、みんな争いすぎなんですよ。やれ「あいつは間違ってる」とか、やれ「俺のいうことが正しい」とか。

でも、こういう争いってほぼ「人それぞれ」で解決すると思うんです。**よくいうじゃないですか？　「誰かにとっての『正しさ』は誰かにとっては『誤り』だ」**って。

これだけ多様性のある現代で、「なにかひとつの真理」などないと思いません？　でも「人それぞれで済ませるのは逃げ」といわれることもあるので、意見を聞いてみたいです。

「人それぞれでよいかどうか」という話か。彼は「なにかひとつの真理などない」といっているが、**私は普遍的な真理が存在すると思って、さまざまな人々と問答をしてみた**んだよ。

こうした問いが今も続いているということだから、興味深いね。

THEME 11

「人それぞれ」はよいことか？

「争いごとって、大体『**人それぞれ**』で解決しません？ **みんなムダに争うのはやめて、人それぞれでいくほうがいい**と思います。」

「まるで古代ギリシアで流行った相対主義の流れを汲んでいるようだね。だが、多様化すればなんでもいいということではないのだよ。相対主義が極限まで進むと、お互いが理解できなくなるかもしれないんだ。」

「でも、実際**世の中に『これ』とひとつに答えが出るものなんて、そんなに多くない**じゃないですか。」

「答えが出ないと、そこでやめてしまうのが相対主義の行きつくところなんだよ。もっと知を追求するのが、哲学なんだ。**相対主義というのは、いわば思考停止のようなもの**だね。」

☑ **KEYWORD　相対主義**

ギリシア時代のソフィスト（弁論術や知識を教える教師）の１人、プロタゴラスは、『人間は万物の尺度である』（人それぞれの基準をもっている）と説いた。後にソフィストは**絶対的な真理**を否定し、**真理の相対性**を説くようになった。このような相対主義では人それぞれに多様な価値観があり、ひとつの普遍的な価値というものは存在しない。

「でも、『人それぞれでいい』というスタンスだとしても、みんな各々の意見はもっているんだから、別に思考停止というわけではないでしょう。」

「いや、相対主義が進むと人々は議論をしなくなるのだよ。人それぞれというのは、『私は私、あなたはあなた』という意味で使われるだろう？　つまり**議論がそこから発展せず、なにかを考えることもない。それが、人それぞれ論者が陥る思考停止**なのだ。」

実況「なるほど！　確かに『まぁ人それぞれだよねー』というと、そこで話はおしまいですね。」

解説「そうです。ソクラテスさんは、それぞれの個々がもっている考え方を煎じ詰めていくと、誰にでも共通する真理に到達することを期待しているのです。それが哲学です。」

実況「ソクラテスさんの考えに従うと、相対主義というのは、真理に到達するまでの一種の通過地点ということになりますね。」

ROUND 2 START!

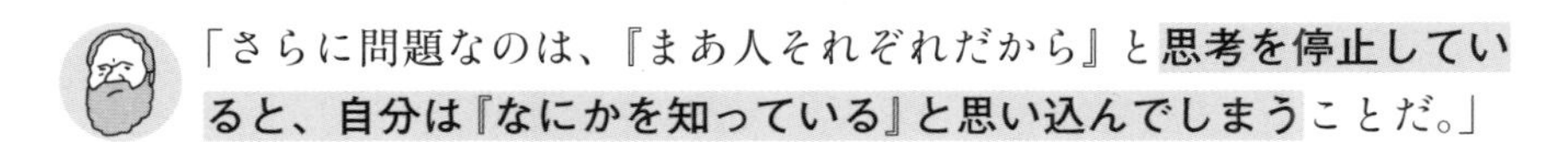

「さらに問題なのは、『まあ人それぞれだから』と**思考を停止していると、自分は『なにかを知っている』と思い込んでしまう**ことだ。」

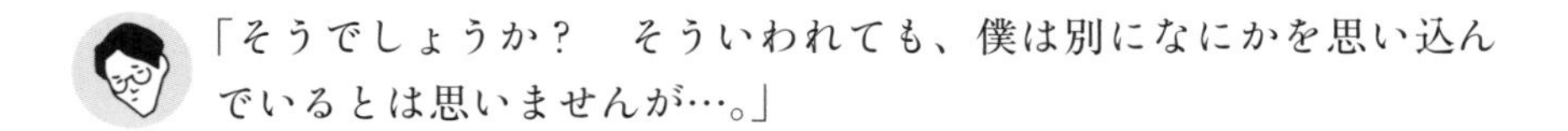

「そうでしょうか？　そういわれても、僕は別になにかを思い込んでいるとは思いませんが…。」

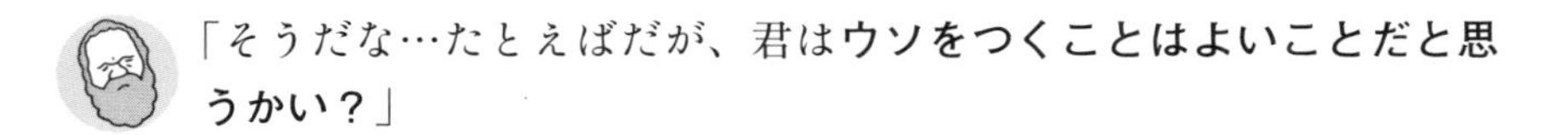

「そうだな…たとえばだが、君は**ウソをつくことはよいことだと思うかい？**」

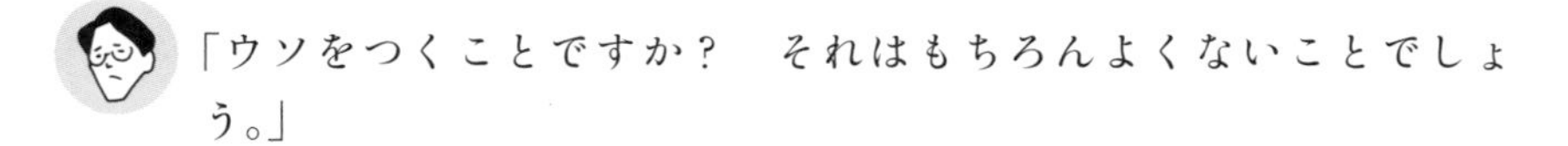

「ウソをつくことですか？　それはもちろんよくないことでしょう。」

「そうか。では、こういう場合はどうだ？　**病気の友人がいるが、彼は薬を飲みたがらない。そこで薬を飲ませるために、これは食事だとウソをついて薬を混ぜたとする**。これもよくないことだろうか？」

「それは…どうだろう。よいことかもしれないですが…。」

「どうだ、君はウソをつくのがよいのか悪いのか、本当はわかっていないんじゃないか？」

「そんなの時と場合によるかもしれないじゃないですか。あなたはどうなんですか？　ウソはよいのか悪いのか、教えてくださいよ。」

「そんなこと、私が知っているわけないだろう。」

「それはおかしいですよね。自分で聞いておいてわからないんですか…？」

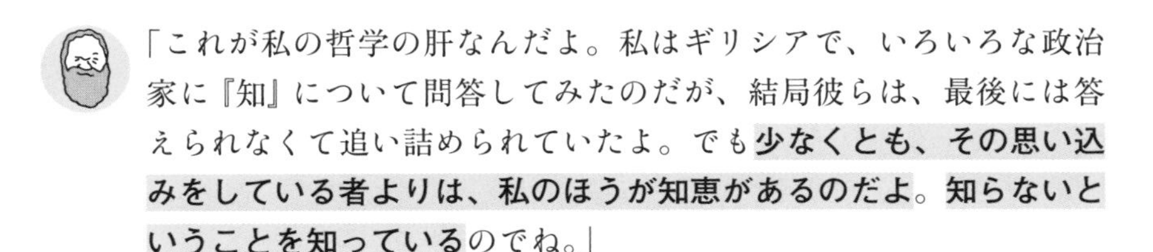

「これが私の哲学の肝なんだよ。私はギリシアで、いろいろな政治家に『知』について問答してみたのだが、結局彼らは、最後には答えられなくて追い詰められていたよ。でも**少なくとも、その思い込みをしている者よりは、私のほうが知恵があるのだよ**。**知らないということを知っている**のでね。」

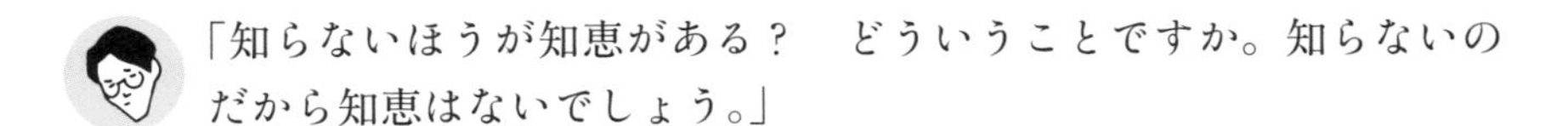

「知らないほうが知恵がある？　どういうことですか。知らないのだから知恵はないでしょう。」

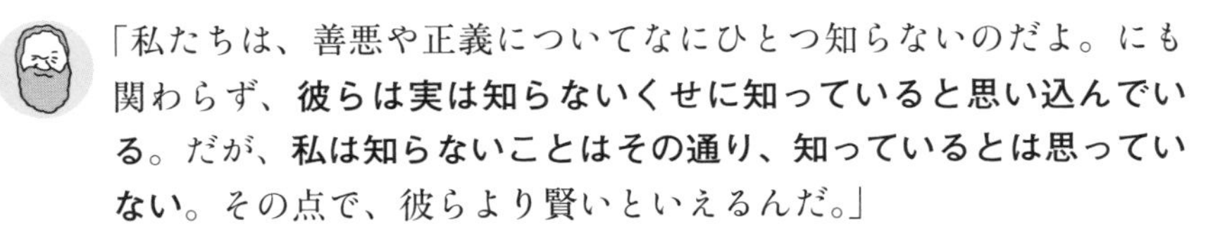

「私たちは、善悪や正義についてなにひとつ知らないのだよ。にも関わらず、**彼らは実は知らないくせに知っていると思い込んでいる**。だが、**私は知らないことはその通り、知っているとは思っていない**。その点で、彼らより賢いといえるんだ。」

☑ **KEYWORD　無知の知**

「無知の知」とは、**『自分に知識がないことに気付いた者は、それに気付かない者よりも賢い』**ということである（**不知の知**ともいう）。
ソクラテスは、ある日、友人から**「アテナイ（アテネ）にはソクラテスより賢い者はいない」**と神託があったことを伝えられた。ソクラテスは、自分が一番の知者ではないと考え、それを確認するためにアテナイの知識人たちと問答を繰り返した。ところが、ソクラテスの問いで次々と知者が論破され、彼らのように知恵があるとされる者が、本物の知者ではないことがわかった。
その結果ソクラテスは、「彼らは知らないくせに知っていると思い込んでいるが、自分は知らないことをそのまま知らないと思っている」という点においてだけ、彼らより賢いという結論に達した。

「でもそうなると、**結局なんにもわからないで終わる**ということではないでしょうか？　これじゃ『人それぞれでいい』ということよりも進歩がないのでは？」

実況 「そうとも考えられますね！ 『知らないということを知っている』ということで終わってしまったら、『人それぞれ論』より先に進まない感じもします。」

解説 「今回は人それぞれ論者さんが有利に見えます。ですが、そこで終わらないのが知への追求です。ソクラテスさんの時代になにかの答えが出たわけではないですが、ここから新しい哲学が始まったのです。そして、これが現代の哲学につながっているのです。」

実況 「なるほど！ さて、ソクラテスさんとの対話はどのような展開を見せるのでしょうか。」

ROUND 3 START!

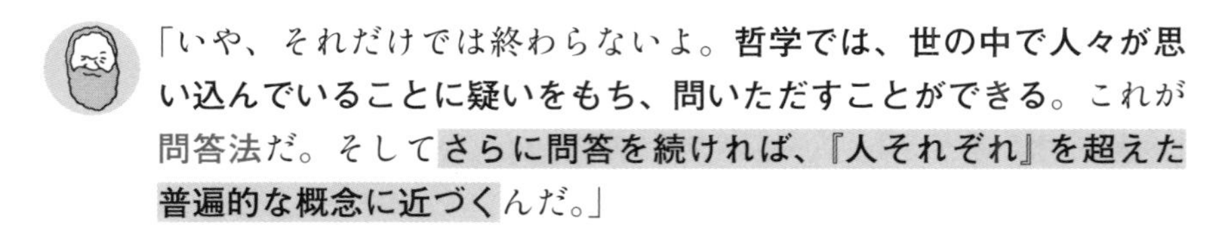

「いや、それだけでは終わらないよ。**哲学では、世の中で人々が思い込んでいることに疑いをもち、問いただすことができる。**これが問答法だ。そして**さらに問答を続ければ、『人それぞれ』を超えた普遍的な概念に近づく**んだ。」

☑ KEYWORD　問答法

問答法とは、一方的に自説を説明するのではなく、**相手に質問を投げかけて、本質を明らかにしていく方法**である。わかりやすい例が、先ほどのウソに関する問答である。このように**相手に問いを発すると、相手は自分の無知を自覚する**。そこからさらに問答をしていくと、個別の考えから普遍的な概念への拡張へと進んでいく。

「それって結局、人々は議論することが必要ということですか？」

「いや、問答法は議論に含まれるのだが、相手に質問を続けるという点で違う。この方法ではまず、こちらから問いを発して答えてもらう。それを続けて吟味していくと、**ひとつの答え**が見えてくる。もちろん、**答えが出ないときもある**。ただ、**問われているほうの無知の知はハッキリするね**。ああ、自分はわかっているつもりでわかっていなかったのだと。」

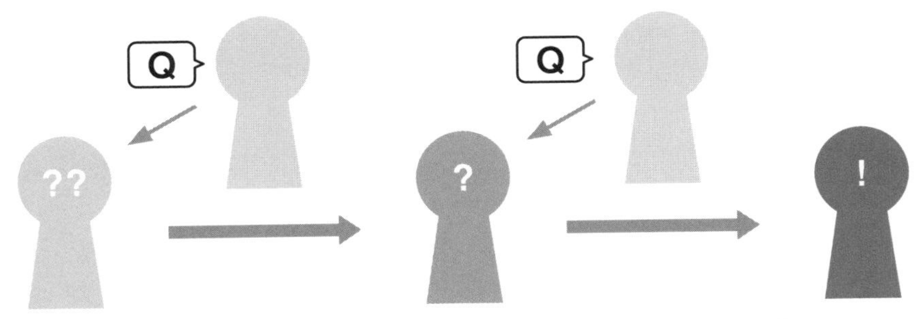

ソクラテスは問答によって、人々に無知を自覚させたり理解を深めていくことを目指した

「でも実際、**その後、なにか答えが出たことがあるんですか**。哲学って問うばかりで、答えが出ないことが多いですよね。」

「**答えが出なくとも、人は答えを求める**。それが哲学（フィロソフィア）なんだよ。そして**少なくとも、少しずつ前よりはわかることが増えてくる**のだ。」

「そうですかね？　でも、問答をしたとして、**これだけ多様性がある世の中で、誰にとっても共通するような考え方など本当に見つかるのでしょうか？**」

「あるとも。たとえば私は、さまざまな問答をするうちに、『アレテー（徳）』こそが最も大切だということがわかった。これは、あらゆるものに備わる本来の『**優秀性、卓越性、性能のよさ**』のようなものだ。」

☑ KEYWORD　アレテー（徳）

アレテー（徳）は**あるモノにおいて、そのものに備わる本来の「優秀性、卓越性、性能のよさ」を意味する。「そのもののパフォーマンスが最も発揮されている状態」**ということに近い。たとえば、コップであれば「こぼれない」「飲みやすい」などがアレテーである。包丁であれば「よく切れる」「もちやすい」などがこれにあたる。

「アレテーですか…。でも、それって私たち人間となにか関係あるんですか？」

「もちろん。私は問答し尽くして、**人間にとってのアレテーとは『魂の優れたあり方』『魂のよさ』**だと考えたのだ。」

「普通、人生をよりよくしたいと思えば『金を儲けることが大事だ』とか『名誉を手に入れることが大事だ』とか、人それぞれの価値観があるものだ。しかし、**その根本に『魂のよさ』というアレテーがあってこそ、人はよい人生を送ることができる**。」

「ふーん…、問答でわかることもあるんですね。それにしても、どうやって魂をよくするんですか。」

「それを知るためにも、問答をし続けるのだよ。『人それぞれ』で思考停止をしないでね。**『人それぞれならいい』という考えを脱却し、**

普遍的な真理へと近づいていくという気持ちをもち続けることが大切なんだ。私が問答を追求したように、君にとっての問答は、今始まったばかりなんだと思うよ。**少なくとも、『人それぞれ』で議論を避けて、『知ったつもりでいる』よりはいいはずさ**。」

ちなみに　ソクラテスの母親は助産師だったという。これにちなんで、ソクラテスの問答法は、問答の過程で真理が生み出されていくことから、「産婆術」とも呼ばれている。

「うーむ…。確かにちょっと、争いを避けすぎてあまり考えられていなかった気はします。」

実況　「『考え方は人それぞれ』で済ましていることがクセになりすぎると、思考放棄につながるのかもしれませんね。」

解説　「そうですね。われわれは面倒くさがって、ついつい『まあ考え方はいろいろあるでしょ』と思いがちですが、それに負けないことが大切なのかもしれません。」

実況　「なるほど、ソクラテスさんの哲学は現在も生きていて、私たちに問いを投げかけているということですね。」

ソクラテスの哲学

「知らない」ことを知っているからこそ、新しいことを学べる

ソクラテス（紀元前470年頃～紀元前399）…古代ギリシアの哲学者。倫理学（道徳哲学）の祖と呼ばれる。プラトンはその弟子。自身の著作はない。

EXPLANATION

「人それぞれ主義」が蔓延したギリシア社会

紀元前５世紀ごろ、ギリシア社会の民主化が進むにつれて、それまでの古い考え方では新しい民主社会の要望を満足させられなくなりました。**「これが正しい」という普遍的真理があやふやになった**のです。そんな状況のなかで、**「人それぞれ主義」**――**相対主義**の立場をとる職業的教育家が現れ、彼らはソフィスト（**弁論術や知恵を教える教師**）と呼ばれました。

ソフィストの代表者は**プロタゴラス**（前 481 ～前 411）や**ゴルギアス**（前 490 ～前 420）などです。特にプロタゴラスの「**人間は万物の尺度である**」という**人間尺度論**は有名です。そしてプロタゴラスの教えは後に、「どんな議論にも相反する２つの考え方がある」という内容から、**「うまいことヘリクツ（詭弁）をこねれば、相手を論破することができる」とも考えられるようになりました**。こうして、ギリシア社会には「人それぞれ主義」が蔓延したのです。

最強の論破王ソクラテスが登場！

ここに登場したのが、ソクラテスです。**ソクラテスはソフィストに対話をいどみ、次々と論破していきます**。詳しく内容を知りたい方は、プラトンの記した対話篇『ゴルギアス』がおすすめです。偉そうなソフィストが

タジタジになるという爽快な展開です。

ちなみに、ソクラテスは著書を残していないので、**ソクラテスと弟子プラトンの思想がはっきり線引きできません**。そこで、プラトンの対話篇などから、その思想がさまざまに推測されています。

問答しすぎて死刑に!?

ソクラテスが議論に強かったのは、「**自分から答えをいわないで、質問責めにする**」という問答法を用いたためです。彼はソフィストに「**善とはなにか**」「**この場合はどうなのか**」「**例外もあるのでは**」などの質問を矢継ぎ早にし、さすがのソフィストも行き詰まってしまいました。

こんなことをされた側はおもしろくありません。また、青年たちがソクラテスの真似をして大人の話を論破するなどの影響もあり、彼は反感を買っていきました。こうしてソクラテスは、**青年を惑わしたなどの理由で裁判にかけられ、死刑をいい渡されました**。

問答によって普遍的真理を目指した

ソクラテスは問答によって、相対主義が陥りがちな「**（実はなにもわかっていないにも関わらず）なにかを知っていると思い込んでしまう**」という問題点を指摘しました。そして、だからこそ普遍的な答え**を求めて問答を続けようとした**のです。ちなみに、ソクラテスは死刑をいい渡されてからも、「**死がどういうものか知らない以上、それを恐れることはない**」と、毅然とした態度でいました。

私たちは相対主義的な現代の哲学に影響を受けているので、「人それぞれ」を支持しがちです。けれどもたまには、ソクラテスという倫理学の祖にたちもどって、「絶対的・普遍的な真理」というものについて考えてみるのもよいかもしれません。

THEME

12

現代人

投票行かないマン

哲学者

政治哲学者

ABOUT NOT BEING INTERESTED IN POLITICS

政治に興味がないのはダメなこと?

若者が投票に行く意味って あんまりないと思うんです…。

投票行かないマンより

「若者の投票率が低い」「投票に行こう」といわれることがしばしばありますが、僕は懐疑的です。

だって、少子高齢化で若者はそもそも少数派なんですよ？　**僕らの投票率が少し上がったくらいでは、選挙の結果を変えるほどの影響力はもたない**んですよ。

それに、**そもそも現状では、誰が政治家として当選したって大して変わらない**んだと思うんですよね。これでは投票しようという気も失せます。

確かに現代の日本では、若者の投票率は下がっている傾向にあります。私はこれはもったいないと思いますね。

私が影響を受けたハンナ・アーレントという哲学者は、**人々が政治参加しないことの危険性**を説きました。それを彼にもわかってほしいですね。

THEME 12

政治に興味がないのはダメなこと？

NO

投票行かないマン

VS

YES

政治哲学者

ROUND 1　START!

「日本では2016年から、18歳以上が投票できるようになりましたけど、相変わらず若者の投票率は伸びないですね。僕もあまり積極的に行こうとは思えません。行く必要を感じないというか…。」

「それはよくない傾向です。投票しない人が増えるということは、政治参加する人が少ないということですから。」

「でも仕方ないと思いますよ。**今の現状じゃ、誰が政治をやっても世の中はよくならないと思うから、政治に関心がない**んですよ。」

「そうですか…。ところで、あなたはハンナ・アーレントという政治哲学者を知っていますか？　彼女について知っていると、政治に少しは興味が出てくるかもしれません。彼女は**ドイツ出身のユダヤ人哲学者・思想家**なんです。」

ハンナ・アーレント（1906～1975）

政治哲学者・思想家。ヒトラー政権の台頭によりアメリカへ亡命。著書『全体主義の起源』を発表した。

「ドイツ出身…ユダヤ人の方なんですね。」

「そうです。彼女は、ヒトラーが政権を握ると、1933年にパリに亡命します。しかしその後、ドイツがパリを占領したので、ニューヨークに亡命したのです。後に『全体主義の起源』を著しました。」

☑ KEYWORD　全体主義

全体主義とは、**個人の自由や人権よりも、国家・民族の考えや利害を優先させる政治思想**である。全体主義では、国家利益を優先して、個人の自由が抑えられる場合がある。

「全体主義ですか…。今の時代にはあまり関係なさそうですね。」

「いやいや、そうとも限りませんよ。そもそも**ナチス政権は、人々が自分の意見をもたずに周りに同調していった結果、生まれてしまった**んです。多くの人が政治に参加して将来を決めていかないと、また権力者によって操られてしまうかもしれません。」

「でも…**その政治の内容が複雑でわかりにくい**こともあります。候補者がなにを主張しているのかが、よくわからないんですよね。」

「新聞なんかに書いてあると思いますが…読んでますか？」

「新聞ですか、読んでないですね…。スマホなんかでニュースを見ようにも、途中から有料版になったりするし。強いていえばSNSでたまに見るくらいですが、それもおもしろくないです。」

「でも、**そうやって一部の情報ばかり見ていると、受け取る情報がかたよってしまう**かもしれません。ナチス政権のプロパガンダまではいかないでしょうが、もし、それに近い情報の操作がなされていたりしても気づかないかもしれませんよ。」

☑ POINT　ナチス政権のプロパガンダ

全体主義への途上では、個人は帰属意識を失って流されやすい大衆の一人となり、所属感を与えてくれるフィクション的な希望を求める傾向にある。こうした傾向が、ナチスのプロパガンダを助長した。
ナチスは、**「白色民族と有色民族」「高貴な血統と下等な血統」**などの誤った区別を大衆に植えつけ、人々に所属感を与えようとした。こうしてヒトラーは**「ドイツ人とはアーリア人のことで、ユダヤ人はドイツ人ではない」**という図式を宣伝し、大衆もこれに同調してしまった。

「今は、スマホで見たいものだけを見がちなので、確かに情報はかたよるかもしれません。自分で情報を拾いに行くのが大事なのはわかりますが、仕事に追われて、時間がありません。」

「確かに仕事が忙しいときもあるかもしれません。しかし政治思想や歴史の勉強ができずに、政治の状況がわからなくなっているようでは、**いつの間にか社会が労働者にとってさらに厳しくなるような状態に変わったとしても、気がつかない**のではないでしょうか。」

実況　「ここは政治哲学者さんが有利そうです。でもナチス政権なんて大昔の話で、私たちとは関係ない感じがするんですが、そうでもないのですね。」

解説　「そうです。ナチスについての政治批判をきっかけに、さまざまな哲学が生まれていますしね。」

ちなみに　アーレントはハイデッガー（109ページ）の教え子で、恋仲でもあった。その後2人は別れて、ハイデッガーはナチスを支持し、アーレントは全体主義を批判した。

ROUND 2 START!

「学校でも、世界史や公共などの科目で、政治について勉強すると思うんですが…。それでも、興味は湧きませんか？」

「いや、学校の勉強は試験対策中心なので、政治に興味をもつことはまれだと思いますよ。詰め込み式教育ですから。」

「そうですかね。学校で、政治についていろいろな意見を共有し合うという授業はなかったのですか？」

「ほとんどないですね。先生から生徒への一方通行の授業だったような気がします。最近は、社会科で思考する機会を増やすという方針が進められているようですけど、それもあまり効果はないのではないでしょうか。**そもそも政治について語り合ったりすると、ちょっと引かれてしまいます**しね。」

「なるほど…。あなたたちは学生のころから、自分の意見をあまりもっていないようですね。でも物事を人任せにしてしまうと、政治の独裁化が起こらないとも限りません。若者が選挙に行って、政治を変えていかなければ。」

「でも、**少子化が進む現在では、そもそも若者は少数派**です。**若者がいくら選挙に行っても影響は微々たるもので、結局、歳を取った人たちが勝つ**んですよ。」

「でも、こう考えたらどうでしょう。**たとえ選挙への影響力は少なくとも、政治参加はする**という決意をもったら。」

「影響力が少なくても政治参加はする…？　それにどんな意味があるんでしょう？　あんまりコスパがよいとは思えませんが…。」

「政治に参加しようと思うと、積極的に情報を集めて、活動的になります。そうやって**複数の人々が公共の場に参加して、意見を交換することによって、それがだんだんと大きくなっていく**のではないでしょうか。そうすれば、若者の声が年配の人たちにも届くかもしれません。ハンナ・アーレントもそういっています。」

☑ POINT　政治について語りあうことの重要さ

アーレントは著書『人間の条件』のなかで、古代ギリシアを例にとり、人間の基本的活動を「労働（labor）」「仕事（work）」「活動（action）」に区分した。「労働（labor）」とは、**生活の糧を得るための生命維持活動**である。「仕事（work）」とは、**道具製作などの文化的活動**のことである。さらに、「活動（action）」とは、**人間が「労働」・「仕事」以外の時間を利用して政治について語り合う自由な言語活動**をいう。この市民による**自由な「活動」こそ、公共的な政治空間としての役割（公共性）をになう**ものであるとアーレントは主張した。

「なるほど…。政治参加をしようという考えをもつことで、人と情報を交換するようになるかもしれませんね。」

「この世界には、さまざまな人々がいます。アーレントは、それを**複数性**と呼びました。**ユニークな人々がそれぞれ政治に参加して、みんなで公共性を保つことで、政治のかたよりを緩和することがで**

きるのです。」

☑ KEYWORD　複数性

人間は一人ひとりがユニークであって、ひとつにくくることはできない。これをアーレントは「複数性」と呼んだ。全体主義ではユニークな人やマイノリティを迫害する傾向にある。アーレントは、全体主義が出現しないようにするには、多様性をもつ人々が政治参加をする必要があるとした。

「投票自体に大きな意味はなくても、政治参加するのは重要なのですね…。ちょっと考えてみたいと思います。」

実況　「投票そのものに意味なんかないんじゃないかと思ったときもありましたが、原理的には多くの人が政治参加をしないと、世の中が危なくなってしまうのかもしれませんね。」

解説　「その通りです。アーレントのように政治の原理を考えるのが、政治哲学です。政治哲学を勉強しながら世の中のことを考えると、いろいろ気づきが多いと思います。」

実況　「なるほど。政治哲学という分野があるのですね。これをきっかけに政治に興味をもって、ニュースなども参照するといいのかもしれません。」

政治参加をすることが、社会の公共性を保つことにつながる

ハンナ・アーレント（1906～1975）…ドイツ出身。アメリカ合衆国の思想家・政治哲学者。全体主義を分析。著作は『全体主義の起源』など。

EXPLANATION

亡命しながら活動した哲学者、ハンナ・アーレント

ドイツ出身のユダヤ人女性哲学者・思想家ハンナ・アーレントは、ヒトラー政権から逃れ、1933年にパリに亡命しました。1940年にはフランスがドイツに降伏したので脱出し、1941年にニューヨークに亡命します。

そして1951年、彼女は『全体主義の起源』を著しました。この書は、**帰属意識を失って孤立した大衆が、ナチスの人種的イデオロギーに所属感を求めていく過程を分析した**内容です。

独自の立ち位置ゆえに標的になってしまったユダヤ人

アーレントによると、19世紀のヨーロッパは**文化的な連帯によって結びついた**国民国家となっていました。国民国家とは、国民主義と民族主義の原理のもとに形成された国家です。国民主義では、国民が互いに等しい権利をもち、民主的に国家を形成することを目指しました。また民族主義は、同じ言語や文化をもつ人々が、自らの政治的な自由を求めて、国境による分断を乗り越えつつひとつにまとまることを目指す考え方です。

ところが、**当時の国民は富裕層と貧困層に分かれており、人々はまとまりのある連帯感をあまり感じられていませんでした**。一方でユダヤ人はユダヤ教で結びついており、階級社会からも独立していました。**こうした状**

況から、ヒトラー政権下ではユダヤ人が目の敵にされてしまったのです。

国家の危機が生じると、人々は流されやすくなる？

本来、国民国家は領土、人民、国家を歴史的に共有するはずですが、**帝国主義の段階では異質な住民を同化し、「同意」を強制するしかありません。**こうした状況で**危機感が高まると、個人は帰属意識を失って流されやすい大衆の1人となります**。

人は孤立すると無力感にとらわれ、所属感を与えてくれるものに飛びついてしまいます。ナチスはこれを巧みに利用し、民族や血統といった誤った区別で人々に所属感を与えました。

こうしてナチスは**アーリア人の血を引く人間を優遇し、ユダヤ人排除を合法的に進めていきました。**

積極的な政治参加が公共性を担保する

この地上に生きる人は1人ではなく、多数の人々です。その**1人ひとりはユニークで、ひとつの枠にくくることはできません。**アーレントはこれを**複数性**と呼びました。このように**多様な人が生きる社会においては、公共性が確保されることが重要**です。

しかし、私的な共同体の根底にあるのは食欲などの生存本能です（これを「**共通の本性**」と呼びます）。ですから、**世の中がパニックに陥ると、人々は物事を他人任せにしてしまい、公共性が失われがち**です。これが、全体主義が登場する要因になるのです。

アーレントは、「**大衆が独裁者に任せきることは、大衆自らが悪を犯していることである**」と唱えました。再び私たちが似たような過ちを犯さないためにも、政治に関心をもち、積極的に参加していくことが必要といえるでしょう。

現代人

港区女子

哲学者

ポストモダン思想家

ABOUT BRAND LOVERS

「ブランド志向」はよくないことか？

どうせ買うなら「ブランド中心」もアリでは？

港区女子より

私は、「どうせ買うなら高級なものが欲しい」というのがモットーです。全身ブランドで固めたいわけではないですが、ハイブランドはポイントで着こなしたいですね。

ご飯を食べるところも、せっかくなら六本木や麻布十番の素敵なお店に行きたいタイプです。

私みたいなタイプ、拝金主義だっていう人がいるのも知ってます。でも**ハイブランドや素敵な食事をモチベーションに頑張って仕事もできますし、それほどおかしなことではないでしょう？**

確かに、ブランド品は魅力がありますね。しかし、**ブランドというのは、実はその品質ではなく「記号」としての価値が大きかった**りするのです。

その辺りに無自覚だったりすると、いつの間にか、ただ誘導されて「記号」に金を払い続けることになるかもしれません。

THEME 13

「ブランド志向」はよくないことか？

「私は、**どうせなら持ち物は高級なものにこだわりたい**ですね。あんまり派手に見えないようにファストファッションも混ぜつつ、ブランドを集めて着こなしています。六本木、乃木坂、麻布、赤坂なんかは好きなお店が多いです。」

「それは哲学者ボードリヤールがいうところの『モノの形式的儀礼』という考え方かもしれません。**豊かさは実際には現実に存在していないのだが、その有効性を信じ込んでいる**ということです。」

ジャン・ボードリヤール（1929～2007）
フランスの哲学者・思想家。ポストモダン思想家の1人とされている。著書『消費社会の神話と構造』を記した。

「どういうことですか？　ブランドをもつことは**資本主義社会での成功**を象徴しているんですから、実際有効だと思います。」

「私は、ブランドそのものを否定しているわけではありません。『モノの形式的儀礼』とは、**ある商品が、その使用価値を超えたなんら**

かの交換価値をもった状態のことなんです。これを説明するためにちょっとお伺いしたいのですが、あなたはブランド品のバッグとスーパーのエコバッグはどっちが好きですか？」

「その二択でどちらが好きかと聞かれれば、もちろんブランド品に決まっていますね。」

「でも、両者は『どちらも袋である』という意味では同じです。つまり、**使用価値としてはブランド品もエコバッグも同じ**だと思いますよ。にも関わらず、**ブランド品のほうが高いのは、それが使用意図を超えた記号的な価値をもっているから**なのです。僕だったら、同じような使用方法であるものなら安いほうを選びたいですね…。」

☑ KEYWORD　使用価値・交換価値

使用価値とは、**商品の必要に応じた有用性**を意味する（バッグであれば、なにかを入れて運ぶという価値）。交換価値とは、**ある商品とほかの商品とが交換されるときの価値**を意味し、価格として表現されるときもある。ブランド商品は、使用価値以上の交換価値をもっているので、価格が高いとされる。

「そうとも限りませんよ？　**ブランド商品が高いのは、素材の品質や、つくる大変さも関係あるはず**です。エコバッグは素材も安いですし、簡単にできるから安いのだともいえます。歴史的にも、ブランド品が世界で流行ったのは、その製品が壊れにくく丈夫だったからです。品質がいいから高いんですよ。」

実況「これはどちらの主張も甲乙つけがたいですね。ブランド品には記号的な価値もある一方で、実際に品質がよいものもあります。」

解説「そうですね。ただその一方で、よくできたブランド品のレプリカを欲しがる人もいますから、ロゴなどの記号的価値にはやはり意味がありそうです。」

ROUND 1 JUDGE!

ROUND 2 START!

「品質がいいから高いというのは、すべての商品にあてはまるものではありません。確かに、初期にブランド品が広まったのは、製作工程に手間がかかっており、品質もよかったからです。でも**現代社会では、あらゆる商品が大量生産できる**のです。」

「こうなると、価格の高さが品質だけでは説明できないともいえます。ブランド品が高価であるのは、その商品を生産するのにコストがかかっているからでも、ほかの商品に比べて特別な機能があるからでもありません。」

「でもデザイン的にもお金がかかったりするでしょう？　見た目にも工夫が取り込まれているんだから、やはりブランド品そのものに価値があるんです。」

「確かにブランド品には凝ったデザインもありますが、それこそ機能というよりは『記号』としての違いを出すためにほかならないと思います。**ブランド品の価値は、ほかの商品との記号の違いによって生じている**のです。」

☑ KEYWORD　記号

消費されるものは、「**機能**」と「**記号**」をもっているとされる。「**機能**」は、実質的に役に立つものだが、記号は「他人と差をつける」などの意味をもつ。大衆社会では、記号的な消費の欲望がたかまっていくので、ブランド品に価値が生まれると考えられている。

「それって、ブランド品をもっている人は、他人と差をつけて見せびらかしているだけだっていうことですか…？　ちょっとうがった見方じゃないですかね…？」

「さっきもいったように、私はなにもブランドそのものを否定しているわけではないんですよ。現代社会において、ブランドの価値は商品の質ではなく、記号にあるという話をしているだけです。」

「でも、ほかの人とは違うものを身につけることで、自分のオリジナリティを表現することもできます。**記号で他者との区別をつくり出すというのも、よいことだ**と思います。」

「でも、お金もかかるんじゃないですか？　港区女子は、高級なバーで飲んだりすることもあると思うのですが、それも値段が高い割に、『記号』的な価値を飲んでいるだけかもしれません。ほかの場所でも、利便性で大きく劣るわけではないですからね。」

「それも確かに、記号なのかもしれません。でも、**記号自体に価値があるとすれば、それなりの付加価値もついてくると思う**んですよ。実際、ブランド店では最新の流行などもわかりますし、高級なバーでは著名人との人脈ができたりしますからね。」

実況 「これは港区女子さんのいい分もわかりますね。ブランド品や港区住みの価値が『記号』的なものだとしても、それを選ぶことで多くの利点があるということです。」

解説 「ポストモダン思想家さんも、ブランド品そのものを否定するまでにはいたっていないですからね。」

ROUND 3 START!

「なるほど。でも、あなたは自分からブランドを選んでいると思っているようですが、**実は消費社会のなかで、誰かによって無意識のうちに操られている**ということはないですかね。」

「いやいや、自分の意志でブランド品を選んでいますよ。」

「本当にそうならいいんですが…。現代のような**消費社会においては、ちょっとした差で次々と流行がつくられていきます**。長持ちするとはいえ、流行遅れになるかもしれないから、少しの差のためにたくさん商品を買い続けなければいけないような気がします。」

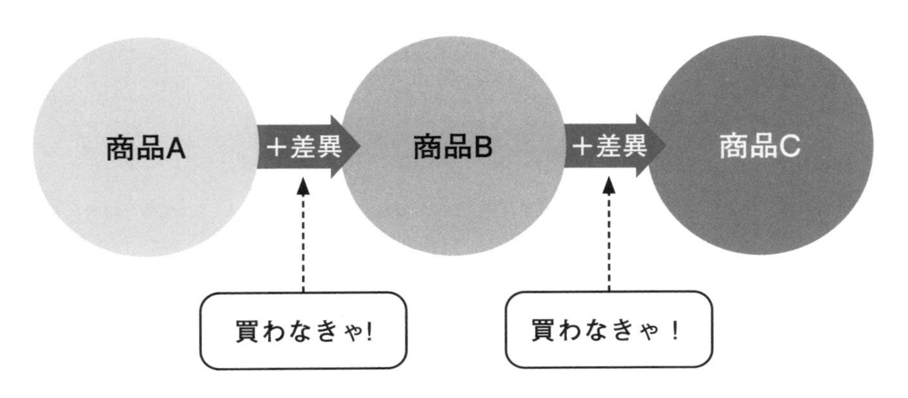

ボードリヤールによると、現代では人々に消費させるために
少しの差異で新たな商品が生み出され続ける。

人々はもはや「差異」そのものが重要だと
感じるようになってしまう。

「そうですね。ですから、ブランド品とファストファッションを混ぜながら、金銭的にもバランスを取って個性を出していくのです。」

「少し質問を変えましょう。港区のような都会では、せっかく一度ステータスになるようなマンションに住んでも、どんどん新しいタワマンが建ってしまったりしますよね。そうすると、また新しいところに越さないと価値が落ちてしまうかもしれません。実際、港区ってどんどん店舗がいれ替わりますし、賃貸の回転率も速いのですけれど、それについてはどう思いますか？」

「港区女子だからといって必ずしも港区に住むわけじゃないですが、いずれは住みたいですね。確かに賃貸もトレンドがありますが、素敵なマンションに住むというモチベーションで仕事もはかどるから、それはそれでいいと思います。」

「うーん…。私が気になっているのは、**『港区女子』という記号だけが、実は無意識的に誘導されて流行しているだけで、個人は流動的に取り替えられていっているんじゃないか**ということなんです。」

「つまり、モノを消費させるために『港区女子』という記号は続くかもしれないですが、ある個人がそれであり続けることが難しいのではないかと思うのです。**流行遅れにならないように、ちょっとした差異でブランド品や賃貸を買い続けるなんて、現実的ではない**気もするんですよ。よけいなことかもしれませんが…。」

「でも、もし流行が『つくり出されている』とするなら、港区女子が消えても別な存在が現れるはずです。**私たちに限らず、現代人は差異のある消費社会で生きていくのが自然**なんじゃないですか？」

「そうかもしません。そういった記号化がどんどん進むのが現代だともいえます。ただ…ボードリヤールによれば、**本来『記号』とはオリジナルを模倣するためのもの**なのですが、私が思うには**消費社会では模倣、つまり記号のほうがオリジナルよりも大事になってしまう**こともあるようです。」

「そうなると、なにがダメなんですか？」

「記号化が進むと、最終的に人々は模倣とオリジナルを識別できなくなってしまうのかもしれません。そうなると、もはや将来は、**バーチャル空間でアバターのためにバーチャルなブランドバッグを高値で買う**なんてこともありえます。」

ちなみに　ボードリヤールのこうした考え方は、SF映画の『マトリックス』にも影響を与えたとされている。

「実際には使えないのに、ブランドを買う時代がくるかもしれないってことですか？　それは確かにちょっと嫌ですね…。」

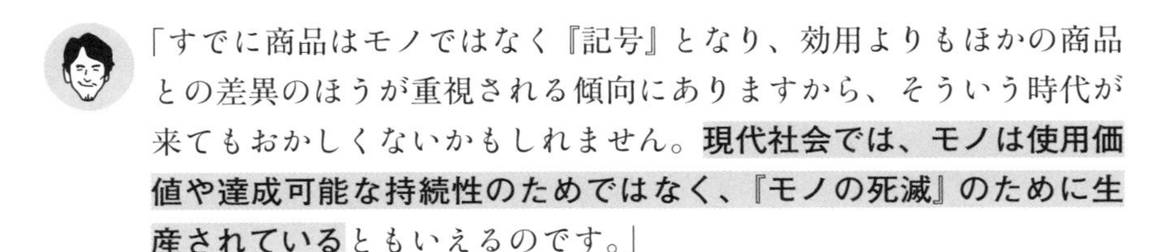

「すでに商品はモノではなく『記号』となり、効用よりもほかの商品との差異のほうが重視される傾向にありますから、そういう時代が来てもおかしくないかもしれません。**現代社会では、モノは使用価値や達成可能な持続性のためではなく、『モノの死滅』のために生産されている**ともいえるのです。」

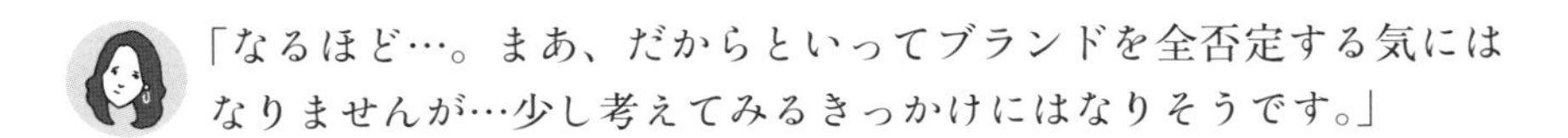

「なるほど…。まあ、だからといってブランドを全否定する気にはなりませんが…少し考えてみるきっかけにはなりそうです。」

実況　「使えもしないアバターブランドのために大金を払う時代が来るかもしれないというのはちょっと怖いですよね。」

解説　「とはいえ、すでにゲーム内で『期間限定キャラ装備』みたいなものを買っている人も多いのではないですかね？　あれも似たようなものかもしれません。」

実況　「確かに…よく私も課金しちゃいます。」

解説　「それが本当に自分の意思ならよいのですが、消費社会では購買意欲を煽(あお)るため、ちょっとした差をつけた商品が生み出され続けるものです。いつの間にかそれに操られて買っているということがないか、今一度見直してみるとよいかもしれません。」

ボードリヤールの哲学

世の中はどんどん「記号化」していく

ジャン・ボードリヤール（1929〜2007）…フランスの哲学者。ポストモダンの代表的な思想家。著作『消費社会の神話と構造』など。

EXPLANATION

「ポストモダン思想」とは？

フランスの哲学者・思想家のボードリヤールは、**『消費社会の神話と構造』**（1970）のなかで、消費社会について分析しました。彼は、ポストモダンの思想家のひとりとされています。

「ポストモダン」とは、フランスの哲学者**リオタール**の主著**『ポストモダンの条件』**（1979）によって流行した言葉です。ポストモダンは、**モダン（近代）を相対化し、その終わりを主張するもの**でした。ただ、この思想は多様性があり、ひとくくりにはできません。思想家としては他にも、**ジャック・デリダ**、**ドゥルーズ**などがいます。

私たちはブランドという「記号」を買っている

ボードリヤールは、**「人々は商品を記号として消費している」**という分析をしました。たとえば、カバンは本来「モノを運ぶ」という意味をもっていますが、デザインや色・形が多様化すると、**使用の仕方以外も購入の判断基準になる**ようになります。そうなると、**使えるかどうかよりも流行が重視されてきます**。

ボードリヤールによると、モノは使用価値や達成可能な持続性のためではなく、むしろ**モノの価値が消滅する状態＝「モノの死滅」のために生産**

されることになります。つまり、**商品はモノではなく記号そのものとなり、その効用よりもほかの商品との「差異」が重視される**ようになるわけです。ブランド物などは、この代表例といえるでしょう。

「欲望」が高まると、記号を消費するようになる？

ボードリヤールは**「生活の必要物を求める欲求」**と**「社会的地位や差異を求める欲望」を区別**しました。食事をするのは**「欲求」**ですが、着飾ったり、いい車に乗ったりするのは**「欲望」**です。そして、この**「欲望」が高まると、他人との区別を表現するために、記号の象徴を消費する**と考えられました。

ボードリヤールはこのような**記号の象徴**を「**記号財**」と呼び、**機能を満たす**ための「**機能財**」と区別しました。「暖かさを保つ」「身を守る」などの理由で着る服は機能財とされ、**他人と差をつけるために着ているブランドものの服は記号財**というわけです。

未来の「記号化」社会に注意しよう

ボードリヤールによれば、**消費の欲望がより多く「記号財」に向かうのに比例して、財はますます記号化していき、消費社会は記号の体系になる**と説かれています。

この行動様式を体現するのは大金持ちとは限らず、むしろ、**上昇志向をもつ中間階層**なので、**この階層は他人とのごく小さい差異を求めて行動します。**

しかし、あらゆる差異をもつ記号財がどんどん生産されると、**最後には差異が相互に解消して、あまり差がなくなってしまいます**。そこで人々は、**わずかな「差異」を保つために、常に新しいブランド製品を購入し続ける**わけです。クレジットカードが上限を超えてしまった人は、「記号」の消費に注意しましょう。

ABOUT WINNING AND LOSING IN LIFE

人は勝ち組に入ることに意味がある?

人生どうせなら「勝ち組」を目指したいじゃないですか!

ハイスペ男より

俺は**人生、「勝ち組」に入ることに意味がある**と思ってます。一流大学を出て、有名企業に入って、ガンガン稼ぐ…女の子にもモテたいです。

でも最近はこういう考え、反感を食らうことも多いんすよ。「勝ち組だけが人生じゃない」とかいわれてね。

でも本当はみんな、稼ぎたいしモテたいんじゃないですか？　ぜひ議論できればと思います。

「勝ち組・負け組」論争——こういった構造についてのテーマは、私も考えています。

彼のいうような**「勝ち組」「負け組」という分類は、実のところ幻想なんじゃないか**と思うんですがね。その辺り、話してみたいです。

THEME 14

人は勝ち組に入ることに意味がある？

「**人生はやっぱり勝ち負けがありますよ**。俺は絶対に勝ち組に入ることに意味があると思います。仕事で大成功をして、資産を築いて、タワマンに住んで、高級車に乗って、モテモテで…そんな資本主義社会の勝者を目指します。」

「それはもしかすると騙されているのかもしれません。あなたの考えているような勝ち組・負け組というものは、実は幻想かもしれませんよ。」

「ええ？　勝ち組・負け組は本当にあると思いますよ。どこが幻想なんですか…？」

「私たちは自分の自由意志で物事を決定し、行動していると思っていますが、実はそれは社会の仕組みによって規定されているだけなのです。**『勝ち組に入らなければいけない』などの価値観も刷り込まれたもの**かもしれません。」

「いやいや、勝つことに目標設定して頑張るというのは立派な態度だと思いますね。そうやって人間は進歩してきたんだから。**現にこの資本主義社会には格差が存在している**じゃないですか。だから勝ち組と負け組はあるんですよ。」

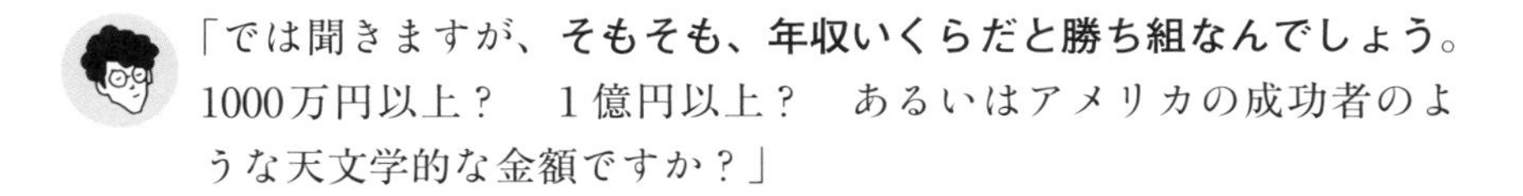

「では聞きますが、**そもそも、年収いくらだと勝ち組なんでしょう。**1000万円以上？　１億円以上？　あるいはアメリカの成功者のような天文学的な金額ですか？」

「それは自分で自由に決めればいいことです。人口のなかで上位何％とか基準を設ければいいでしょう。」

「おそらく、あなたは勝ち組がどのようなものかを決定することはできないと思いますよ。ちょっと別の例で考えてみましょう。あなたは、お湯と水をどこで線引きしますか？」

「さあ…40度くらいからお湯じゃないですかね。」

「だったら、30度は水ですか？　30度はけっこうなまぬるいですけど、水というには温かいですよね。」

「…まぁ、それはそうですが。じゃあ、30度もお湯なんじゃないですか？」

「こういった分類において重要なことは、**『Aは○○である』という定義そのものではなく、『AとB（ほかの物事）との関係性』**なのです。つまり、『これがお湯だ』とは、実は明確にいえず、確かなのは『お湯は水よりも温度が高い』ということだけです。」

「勝ち組・負け組も同じことです。いったいなにをもって『俺は勝ち組だ』といえるでしょうか。実は、**社会の関係性（構造）からすると、そんなものは線引きができない**のです。あなたは『タワマンに住んでいたら勝っている』という架空のフィクションのなかに生きているのかもしれません。」

実況「勝ち組や負け組が幻想なのではという意見は納得できますね。最近はあんまり気にしないっていう人も一定数いますし。」

解説「そうですね。むしろ、目立たず地味に普通に生きて、責任も負わず生きたいというのが、今の人たちの考えではないでしょうか。」

実況「でも、それでは、日本全体の経済成長はどうなってしまうんでしょうね。ハイスペ男さんの意見ももう少し聞いてみたいものです。」

ROUND 2 START!

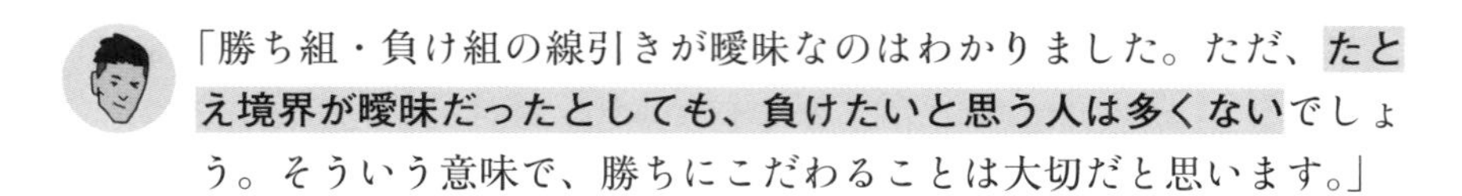

「勝ち組・負け組の線引きが曖昧なのはわかりました。ただ、**たとえ境界が曖昧だったとしても、負けたいと思う人は多くない**でしょう。そういう意味で、勝ちにこだわることは大切だと思います。」

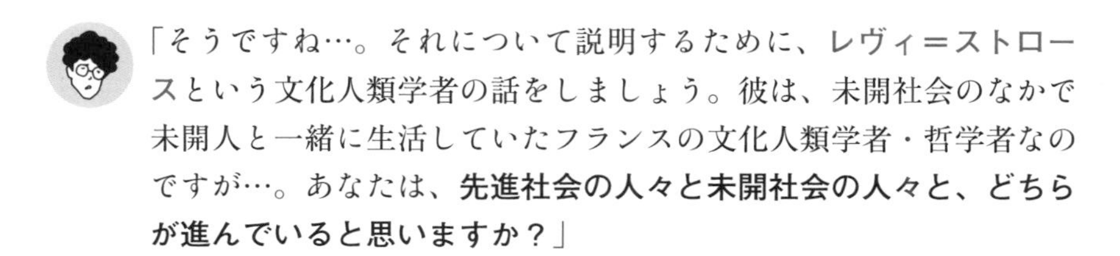

「そうですね…。それについて説明するために、レヴィ＝ストロースという文化人類学者の話をしましょう。彼は、未開社会のなかで未開人と一緒に生活していたフランスの文化人類学者・哲学者なのですが…。あなたは、**先進社会の人々と未開社会の人々と、どちらが進んでいると思いますか？**」

クロード・レヴィ＝ストロース
(1908 ~ 2009)
フランスの文化人類学者・哲学者。先住民の生活について研究した。主な著作は『悲しき熱帯』など。

「それは先進社会の人でしょう。」

「と思うのが普通ですよね。しかし、彼がさまざまな未開な民族社会の親族関係・婚姻関係を調査したところ、**一見無意味に思える未開社会の婚姻関係のしきたりのなかにも、実は高度な構造が関係している**ことがわかったのです。つまり、**未開社会のほうが遅れているという風に一概にはいえない**わけです。

☑ KEYWORD　構造主義

構造主義とはレヴィ＝ストロースの登場で、大きな思潮となった人文・社会科学の方法論・思想的運動のことをいう。
レヴィ＝ストロースはさまざまな神話のなかに、「昼・夜」「森・家」「同世代・各世代」「男・女」「能動性・受動性」「液体・気体」などの相関性があることに目をつけた。さらに、荒唐無稽に見える神話や婚姻関係に、高度な数学的ルールが働いていることを発見した。**これによって、いわゆる「未開社会の迷信」とされていた思考が、実は高度な抽象的論理を駆使しているということがわかった。この発見は、西欧中心の進歩主義の批判につながった。**

ちなみに　レヴィ＝ストロースは、先住民たちの習俗や儀礼やさまざまな神話が、野蛮で未熟なものではなく、精密な論理的思考にもとづいていることを発見し、これを「野生の思考」と呼んだ。

「そういうこともあるんですね。でもそれが勝ち組・負け組とどう関係するのでしょう。」

「**勝ちにこだわるべきという考え方もまた、永久に続くという保証はない**ということです。たとえばですが、あなたは、タワマンだと

1階と高層階とどっちに住みたいですか。」

「それは…もちろん高層階ですね。」

「なぜ高層階なんですか？」

「景観がいいし、なんといっても、高いところのほうがステータスになるんですよ。実際、高層階のほうが価格も高いですしね。」

「高層ビルの低層階のほうが下に降りやすいから、本当は便利ですよね。それでも上のほうがいいというのは、なにかの無意識的な思い込みなのかもしれません。価格も幻想かもしれませんよ。」

「確かに低層階のほうが便利なところもあります。でも**建物の高さに勝ち組のシンボルが象徴されている**のではないですか？」

「そう。あなたは、それを信じているわけです。しかし、レヴィ＝ストロースによって『西欧社会のほうが未開社会より進んでいるはず』という従来の価値観が見直されたように、**『高層階のほうが偉い』という価値観だって、いつ逆転するかわからない**ということです。」

「だから、将来、**社会が変化すると、勝ち組と思われていた人が負け組で、負け組と思われていた人が勝ち組になっていたという現象が起こる**かもしれません。あんまりステータスにこだわっても、それは構造に影響を受けて、将来変化してしまうかもしれないということです。」

☑ POINT　根本にある構造と表面的な変化

レヴィ＝ストロースによれば、**根底にあるルールは変わらずとも、表面的なものは変化する**とされる。

「なるほど…。なにが勝ちで負けなのかは、相対的なものなんですね…。確かに俺は、勝つことが絶対的に正しいと思っていたかもしれません。もう少し、考えてみます。」

実況「確かに、なにが勝ちで負けなのかもわからない時代になってしまいましたよね。もしかしたら、地方の一軒家に住んで、できるだけ働かないでダラダラできたら、それが勝ちだったりする時代がくるかもしれません。僕なんかそうなりたいものです。」

解説「今後勝ち負けという概念は、さらに変化していく可能性がありますよね。」

実況「なんでも妄信するのはよくないかもしれませんね。」

レヴィ＝ストロースの哲学

「あれは進んでて、これは遅れてる」なんて思い込み？

クロード・レヴィ＝ストロース（1908～2009）…フランスの文化人類学者、民族学者。構造主義の祖とされる。著作『悲しき熱帯』など。

EXPLANATION

未開社会のなかに飛び込んだレヴィ＝ストロース

構造主義は、**1960年代に登場して、フランスを中心に発展した思想**です。構造主義を誰が唱えたのかという線引きをすることは難しいのですが、言語学者の**ソシュール**による「**構造言語学**」に影響を受けた文化人類学者のレヴィ＝ストロースによって、一気に広まった思想であることは間違いありません。

レヴィ＝ストロースは、先住民のなかに飛び込んで親族関係や神話などの研究をしていました。そこで親族関係の構造分析を通して、**未開と呼ばれる社会にも、文化と自然を調和させる仕組みや独特の思考法がある**ことを発見し、それを「野生の思考」と名づけました。

構造主義のヒントになったのは「言葉と音の関係性」？

そもそも、構造主義の「構造」とはなんなのでしょうか。レヴィ＝ストロースが「構造」のヒントを得たのは、ロシア人言語学者**ロマーン・ヤコブソン**の音韻論です（ヤコブソンは、ソシュールが提唱した**構造言語学**の原理を発展させました）。ヤコブソンによると、**言語はそれ自体が本来的に意味をもっているのではなく、発音と言葉の関係によって意味が生まれている**そうです。

たとえば「r」と「l」という音はまったく違った発音をされるので、英語ではriceは「米」ですが、liceは「シラミ」を意味します。しかし、日本語ではrとlの区別がないので、「ライスをください」といえば、それは「米」以外なにものも意味しません。

このように、**言語が異なれば音素とそれが指す内容の関係も異なる**というわけです。このような関係性を「**構造**」といいます。**構造は表には見えてきませんし、無意識的に潜在しているという特徴をもちます。**

構造は、あらゆる現象にある！

レヴィ＝ストロースは自然学者**トムソン**の説も応用します。トムソンによると、**魚の形を座標に乗せて、その座標自体を変形するといろいろな種類の魚の形になる**といいます。**魚のイラストを上下左右に縮小拡大するイメージ**で、たとえばフグの座標を変形するとマンボウになります。

このように、**あらゆる出来事は変化していきますが、その「構造」（この例でいうと、魚の形の関連性）は維持されます**。レヴィ＝ストロースは、この「構造」の考え方を未開社会に適応したのです。

西欧社会が未開社会より進んでいるわけではない

レヴィ＝ストロースにより、未開の社会における**親族・親戚・婚姻などの関係は、西洋におけるそれと「構造」という観点では変わらない**ことがわかりました。

彼は「野生の思考」とはすなわち具体の科学であって、今までの**「近代的思考だけが理性的だ」という先入観を批判しました**。**自民族中心主義にかたよった西洋の世界観・文明観に根底的な反省を促した**のです。

THEME

現代人

親ガチャ論者

哲学者

実存主義者

ABOUT NATURAL DISPARITIES

人生は「親ガチャ」で決まる?

人生なんて、親ガチャでほぼ決まるようなもんですよ…。

親ガチャ論者より

私は家が貧しかったので、大学の選択肢は地元の国立大学一択でした。社会人になっても、奨学金の返済で毎月カツカツです。

でもなかには、親のお金で東京の有名私立大学に行き、仕送りもたくさん貰い、そのまま都心の一流企業に就職した人もいます。

こういう差って、ほぼ「親ガチャ」で決まると思いません？ 私なんかまだマシなほうで、世の中もっと親ガチャに外れて苦しんでる人もいます。**結局人生なんて、ほぼ親ガチャで決まるようなもの**なんですよ。

「親ガチャ」ですべてが決まる、か…。私の信奉する実存主義と真逆のようだな。

実存主義とは、**人間はみんなそれぞれ独自の生き方を選べる考え**なんだ。

彼女がどのように「親ガチャ」を捉えているのか、よく聞いてみたいものだね。

THEME 15

人生は「親ガチャ」で決まる？

親ガチャ論者
実在主義者

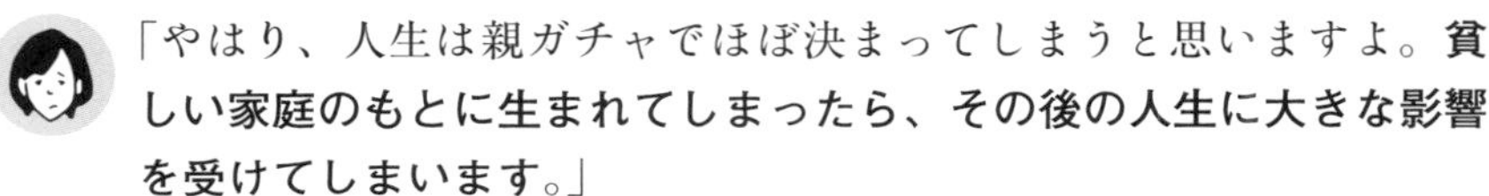

「やはり、人生は親ガチャでほぼ決まってしまうと思いますよ。**貧しい家庭のもとに生まれてしまったら、その後の人生に大きな影響を受けてしまいます。**」

「なんだって！　生まれた家庭環境によって、自分の人生が決まってしまうということなのかい？」

「今の時代は特にそうなんですよ。たとえばですね、親が裕福であれば塾に行く余裕もあり、いい大学へ行く確率は高まります。けれど貧しい家庭はそうはいかない。実際、**貧困な家庭ほど進学率が下がる**というデータもあるようです。」

「しかし、貧しい家庭に生まれても、自分で努力すれば、試験に合格できるのではないのかい？」

「まぁ多少はそういう人もいるかもしれませんが、仮にそういう貧しい子が頑張って大学に入ったとして、そこからも格差があります。たとえば都心の大学だったら一人暮らしをしなければなりませんから、さらにお金がかかります。でも貧しい家庭の子どもは仕送りもありませんから、必死にバイトをしなければいけない。」

「しかし…、では都心の大学に行かないという手もあるのではないか？」

「**その時点で進学の選択肢の幅広さに格差が生まれる**じゃないですか。それに、一人暮らしの生活費だけで済むならいいですが、なかには学費が厳しい家庭も存在します。ウチなんかもそうですよ。そういう人はずっと奨学金のローンに苦しむことになる。これは、れっきとした親ガチャじゃありませんか？」

実況　「これはかなりの説得力ですね。実際、奨学金の返済などで社会人になっても苦しみ続ける人も多いようです。」

解説　「そうですね。経済的な格差や家庭の厳しさなど、『親ガチャ』に関する問題で悩んでいる人は今、けっこういますからね。」

ROUND 2 START!

「確かにそういう点では『ガチャ』はあるのかもしれない。ただもっと、根本的な話をしようじゃないか。私はサルトルという哲学者に影響を受けたのだが、彼によると、そもそも**人間は『意識』をもっ**

た存在であり、自分で自分自身がどうあるかを決定できる存在なんだ。だから、たとえなんらかの課題が降りかかってきても、それにどう対処するかは自分で決められるんだよ。」

ジャン＝ポール・サルトル
(1905 ~ 1980)
フランスの哲学者。実存主義を唱える哲学者の1人。著作『存在と無』、『嘔吐』、『出口なし』など。

「どういう意味ですか？」

「実存主義者であるサルトルによれば、**生まれて世界に投げ出された瞬間、人間はまだ何者でもない…つまり『無』**だ。それは言い換えればなにに対しても『自由』であるということで、そこから人によってさまざまな『責任』が課せられる。そうやって**いろいろな局面にどう向き合うかによって、自分自身がどうあるかを決める**ことができるんだ。」

☑ **KEYWORD　実存主義**

実存主義とは、**人間の現実存在（実存）について考える哲学の立場**である。実存主義は、近代の合理性・普遍性を重視する思想に対抗する考え方で、一人一人の個性や自由を尊重しようとする。サルトルは、自分自身を実存主義者の１人であると主張している。

「でも、**劣悪な環境に生まれたら、スタートで遅れを取っている**わけですから、いくら自分自身のことを決められるといっても、その差は縮まらないと思います。」

「それは、家庭環境だけに注目しすぎではないかな？　たとえ**裕福な家に生まれても、その後に失敗や挫折を味わうこともあるはず**だ。もともと人生は常に不透明で、ある意味ギャンブルのようなも

のだ。親ガチャという言い方に沿うなら、**人生全体もガチャのようなものなのだよ。そういうガチャの連続に対してどう向き合うかが、人生を真に決定づける**のではないかね？」

実況「おお〜…。これは確かにそうかもしれませんね。」

解説「裕福な家に生まれたり、子どものときから名声を得た場合でも、その後ずっと絶好調な人というのは少ないはずですからね。」

ROUND 3 START!

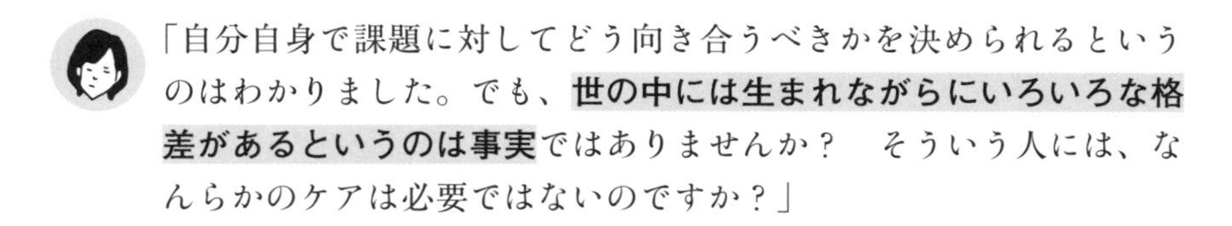

「自分自身で課題に対してどう向き合うべきかを決められるというのはわかりました。でも、**世の中には生まれながらにいろいろな格差があるというのは事実**ではありませんか？　そういう人には、なんらかのケアは必要ではないのですか？」

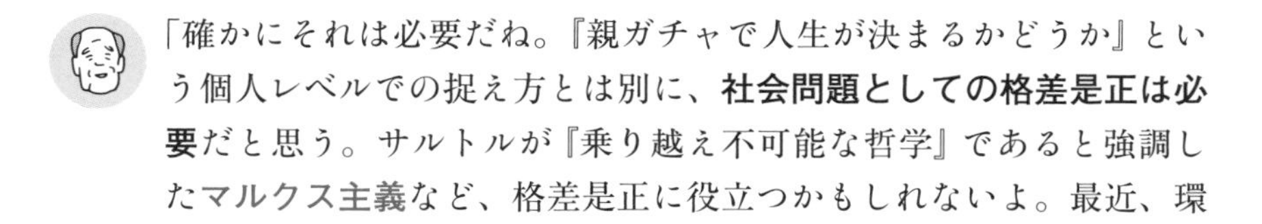

「確かにそれは必要だね。『親ガチャで人生が決まるかどうか』という個人レベルでの捉え方とは別に、**社会問題としての格差是正は必要**だと思う。サルトルが『乗り越え不可能な哲学』であると強調したマルクス主義など、格差是正に役立つかもしれないよ。最近、環

境問題とともにブームだしね。」

☑ KEYWORD　マルクス主義

マルクス主義とは、カール・マルクス（184ページ参照）とフリードリヒ・エンゲルスの思想体系である。マルクス主義は資本を**社会の共有財産**とし、資本家が労働者から搾取する階級社会から、**階級のない社会を目指すという考え方**が提唱された。サルトルは、生き方の面では実存主義を唱え、社会改革の面ではマルクス主義に強く傾倒した。

「ええ？　なんでマルクス主義なんですか？」

「**マルクス主義は、君の望むような格差のない社会を目指した**んだ。それにこれを勉強すると、哲学・経済学・社会学そして、現在の社会にいたるまでの歴史もわかりやすくなる。**確かに君は親ガチャで苦しんだが、ここからどうふるまうかは君自身が選べる**。貧困な家庭の苦しみを知る君だからこそ、この社会のあり方について考えなおすことができるのではないかな。」

「そうなんですね。」

「マルクス主義に限るわけではないが、**どんなに小さな発言や行動でも、まずやってみることが大切だ**。親ガチャのようなつらい経験も、捉えようによっては君だけの人生のあり方を切り開くきっかけになるかもしれない。これこそが、実存主義の考え方だ。」

「そうかぁ…。この経験を、どこかに活かすことができるかもしれないのですね。なんだか少しだけ、前向きになってきたかも。」

「その調子だ！　**サルトルもかなりのハンデを背負っていたようだが、それでも哲学者として大きな功績を遺した**らしい。君にもきっとできるさ！」

ちなみに　サルトルは、生後わずかな時に父親を熱病で亡くしている。また彼自身も強度な斜視であったなど、さまざまなハンデを抱えていた。

実況「ディベートしていたはずが、なんだか前向きエンドですね。」

解説「そうですね！　実存主義の『自分自身がどう変わるべきかは自分で決められる』という考え方は、ある意味人間賛歌ともいえるかもしれません。これは『不遇の立場にあるのはお前が努力してないからだ』という、流行りの『自己責任論』とは一線を画するものであることも、言い添えておきます。」

サルトルの哲学

人間は自分で自分を自由につくることができる

ジャン＝ポール・サルトル（1905〜1980）…フランスの哲学者、小説・劇作家。実存主義哲学の代表者。著作『存在と無』、『嘔吐』など。

EXPLANATION

人間は限りない自由をもっている！

サルトルは「**人間は、自由に自分をつくり上げていく、自由な存在である**」と考えました。たとえば、ナイフのような事物の存在（**即自存在**）は、その**本質（ナイフの定義＝「切ること」）が、ナイフが存在する前からすでに与えられています**。ナイフは「モノを切る道具」としての目的が与えられてつくられたものだからです。サルトルは、このようなモノの存在を「本質が実存に先立つ」と表しました（**先に「切る」という本質があって、あとから現実存在（実存）するということ**）。

一方で、**人間はナイフのように本質を与えられてから生まれるわけではありません。まず世界内に不意に姿を現し、それから本質が定義される**ことになります。すなわち、「実存が本質に先立つ」のです。これは、人間が自分で自分の本質をつくることができるということであり、この意味で限りなく自由といえるのです。

自由であることは「刑」である!?

サルトル本人は、自分を「**無神論の実存主義**」に分類しており、**もはや神のような超越的なものは存在せず、あらゆる物事が人間の自由な創造に委ねられている**と考えました。しかしこれは、「なにに頼ることもなく、人間が世の中での自分のあり方に意味を与える必要がある」ことを意味します。そこには**なんの逃げ道もなく、自分が行うことに全面的な責任を負う**ことになるのです。

責任を負うのはつらいこともありますが、社会のなかで生きる以上、自由だけを手にして責任を放棄するというわけにはいきません。つまり、**自由であることは強いられているのであり、また責任もセットでついてくる宿命**なのです。これをサルトルは、「人間は自由の刑に処せられている」といっています。

実存主義＋マルクス主義でよりよい世界を目指した

サルトルは自身の主張した実存主義とともに、マルクス主義も推していました。**実存主義によって「人間の内面」を、マルクス主義によって「世界の課題」をよりよくしようとした**のです。

マルクス主義では、**労働者と資本家といった階級のない社会**に進んでいくことが目指されました。社会に階級がある以上、**労働者は資本家に搾取され続ける**と考えられます。サルトルは、マルクス主義は「乗り越え不可能である」と説いていたのです。

レヴィ＝ストロースに論破されるも…？

サルトルの思想は、**常に人間が進歩する**という要素をもっていました。しかし、残念ながら、サルトルの実存主義は、文化人類学者のレヴィ＝ストロース（172ページ参照）にその進歩的な考え方を批判され、急速に力を失ってしまいました（この後は、構造主義のブームが到来することになりました）。

しかし、**自分自身を創造していき、世の中をよい方向に変えていこう**とするサルトルの態度そのものは、決して古くはならないでしょう。

ABOUT THE PROBLEMS OF CAPITALISM

現代の資本主義社会には、問題がある?

資本主義を見直そうという考え方があるようですが…。

バリバリ資本主義者より

なんだか最近になって、「**資本主義はもうダメだ**」なんていう話を聞くことがありますが、実際そうなのでしょうか？

世界の流れを見ても、資本主義が主流のように見えるのですが…。実際、資本主義の恩恵を受けている人も多いと思うのです。

私などは**資本主義によってこれからも経済成長を目指して行く方がよいのでは**ないかと思うのですが、反対派の人がどんな意見をもっているのか、気になります。

「**資本主義には限界が来る**」というのが私の考えですが、これは最近になってちょっと支持されているようです。

実際、「**このままの仕組みでは社会がもたないんじゃないか**」と感じている人は多いのでは？　ぜひ議論してみたいものです。

THEME 16

現代の資本主義社会には、問題がある？

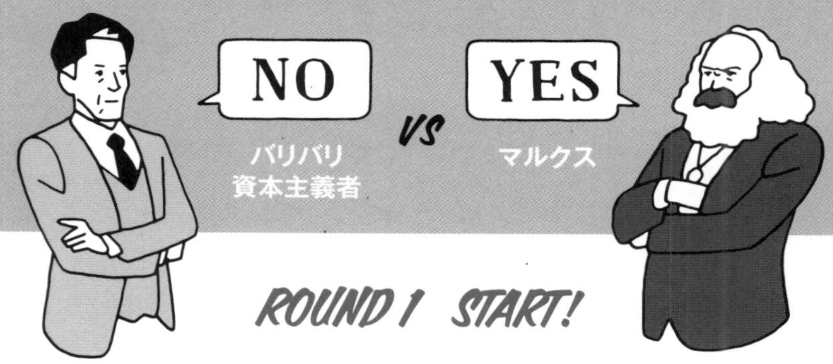

「最近、景気がいいとはあまりいえないようですね。物価の変動も激しいですし。もっと、**資本主義経済を刺激する必要がある**と思いますよ。」

「でも私の理論によれば、**資本主義が発展すればするほど、格差が拡大し続けます**。少子化も伴って、生産性はより低くなり、貧富の差がますます拡大するんじゃないでしょうか。今こそ、**社会主義の考え方を参考にするべきだと思いますよ**。」

☑ **KEYWORD　社会主義**

社会主義とは、貧富の差のある不平等な資本主義に対抗し、生産手段（土地や工場など）を国家所有として、平等で公平な社会を目指す思想である。

「そうとも限りませんよ。日本だって、これから半導体産業や人工知能（AI）、ロボット、電気自動車（EV）などの分野ではまだまだ見込みがあります。**少子化で働く人が減っても、その分をAIとロボットが補填（ほてん）すればいい**わけです。これからも資本主義は進歩し続けるのです。もうグローバル資本主義の世界だと思いますよ。」

☑ KEYWORD　グローバル資本主義

現代では世界の市場は、**社会主義経済と資本主義経済という対立構造がなくなり、世界の市場がひとつになっている**という考え方を、「グローバル資本主義」という。
これに対して、**経済のグローバル化が世界の貧富の差をより拡大させ、地球環境破壊ももたらし、地域の固有文化を破壊していく**とする反グローバリズムという考え方もある。

「しかし実際は、そのテクノロジーの方面で、現代の日本という国は世界から立ち遅れているという指摘もあるようです。それに**AIの発展で多くの労働者を必要としなくなれば、さらに労働者の余剰を生み出す可能性もあります**。もう貪欲な成長は諦めましょうよ。それより、貧富の差を是正して、みんなが幸せにゆったりと生きるのが最優先だと思います。」

実況　「確かに最近になって、資本主義に限界がきているという指摘もされています。」

解説　「私はバブル世代なので、もうあんな景気のいい日本はもどってこないのかと思うと、ちょっと寂しいです。」

実況　「でもバリバリ資本主義者さんのように、まだまだ資本主義でいけるという声もあります。日本が培ってきた技術力を新しいテクノロジーに吹き込めば、復活もあり得るかもしれません。」

解説　「マルクスさんの人気もけっこうありますので、脱成長という選択肢も見過ごせません。さあ、どちらが日本の未来にとって有益となるのでしょうか。」

ROUND 1 JUDGE!

ROUND 2 START!

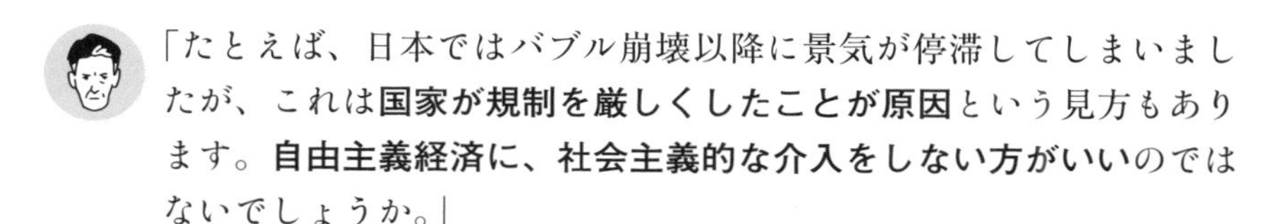

「たとえば、日本ではバブル崩壊以降に景気が停滞してしまいましたが、これは**国家が規制を厳しくしたことが原因**という見方もあります。**自由主義経済に、社会主義的な介入をしない方がいい**のではないでしょうか。」

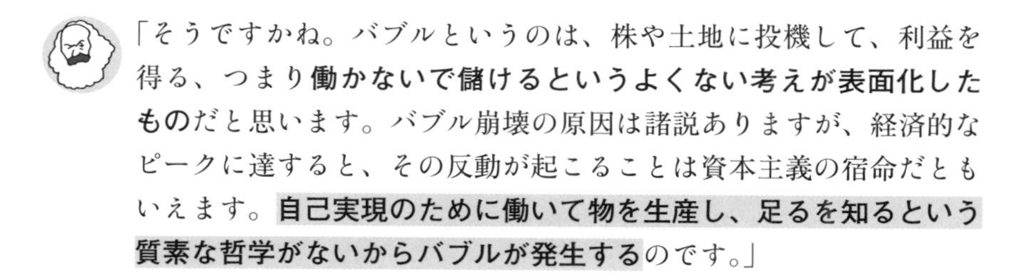

「そうですかね。バブルというのは、株や土地に投機して、利益を得る、つまり**働かないで儲けるというよくない考えが表面化したもの**だと思います。バブル崩壊の原因は諸説ありますが、経済的なピークに達すると、その反動が起こることは資本主義の宿命だともいえます。**自己実現のために働いて物を生産し、足るを知るという質素な哲学がないからバブルが発生する**のです。」

「いやいや、**人間は欲望をもっているから、それを満たすことが大切**なんだと思いますよ。欲望があるからこそ、新しいものをつくれる。新しいものをつくるから、また新たな欲望が生じる。そうやって自己実現していくという過程が成長なのだと思います。**資本主義社会における人間の生きがいは、経済成長**と言い換えてもいいと思いますよ。」

「その考えが残っているから、あなたの時代に矛盾が露呈してきたのではないでしょうか。そもそも**社会主義の哲学では、人がそれぞれ自分の才能を適材適所で活かして、『労働＝生きがい』とすることが理想**だったのです。」

「でも、資本主義では**自分が社会の部品のようになって、嫌な仕事でも賃金を得るために働き続けなければなりません**。これは**人間が疎外**されているということです。こういうことが、現代になってはっきりとわかってきたのだと思いませんか。」

☑ KEYWORD　人間が疎外されている（人間疎外）

人間疎外とは、資本主義社会の巨大化・複雑化によって、**人間が機械を構成する部品のような存在となってしまい、本来の人間らしさがなくなってしまうこと**をいう。社会主義の哲学によれば、人々が自己実現としての労働（好きな仕事をすること）を行えば、自分自身の本来性が取り戻され、人間疎外は解消されるという。

「だったら、今の日本はだんだん質素になってきていますけど、それでいいんでしょうか？　経済というのは、心理的な作用がとても強く影響するものです。少子化と高齢化に加えて、**欲望までなくして無気力化が進んだら、日本は終わってしまうかも**しれません。」

「でも、しょうがないですね。**資本主義は欲望を煽りすぎて、余計な仕事とモノをつくりすぎた**のです。我々は『労働は賃金を得るためのものだ』という非本来的な姿を反省するべきです。**労働は自己実現なのであって、金の奴隷となるためのものではありません**。最近では『好きなことをやって生きていく』という目標を掲げる人も多いようですが、これを実現するには、**社会主義こそが向いている**のです。」

実況　「両者に言い分がありそうですが、マルクスさんの考え方は、現代人に刺さるところがありそうですね。」

解説　「彼の考え方は、何度も復活してきますからね。現代の疲れ切った日本人の心にマッチするのかもしれません。」

実況　「好きなことで生きていけるっていうのは魅力ですよね。」

ROUND 3 START!

「好きなことやって生きていくのは資本主義のほうがやりやすいと思うんですけどね。**資本主義では欲望がエネルギーとなって、創造性を高め、新しい技術を開発してどんどんやりたいこともできるようになります**からね。」

「でも私の分析では、資本主義とは、土地や工場などの生産手段を資本家が所有し、自分たちの利益追求のために労働者を働かせて生産を行う経済体制です。」

「だから資本主義とは結局、企業側が儲かる仕組みであって、**労働者は資本家に搾取され続ける**のです。今**『好きなことで生きている』というような人々も、結局は労働者ではなく資本家**に寄っていると思えますね。労働者はみんな幸せそうに働いていますか？」

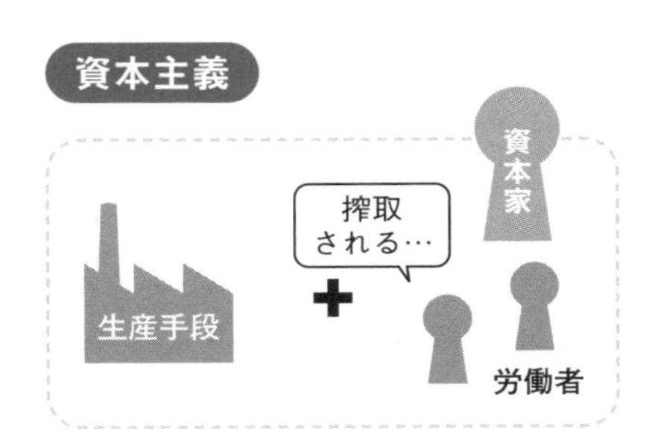

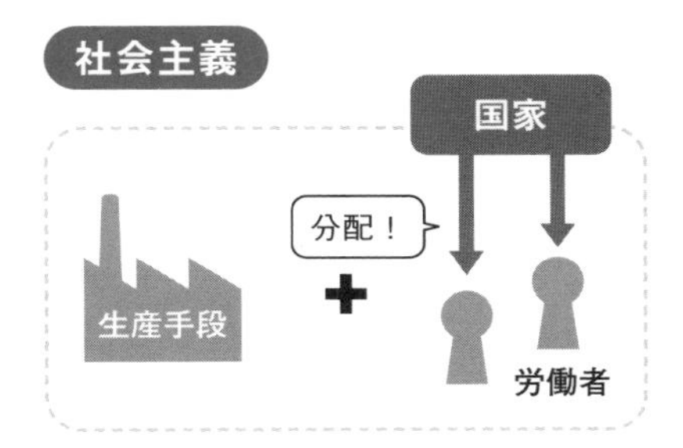

マルクスは、「資本家が生産手段を所有し、労働者が搾取される社会」から、「国が生産手段を保有し、労働者に分配する社会」にしようとした

「それは、**働くことよりも遊ぶことを優先している人が多いから**だと思いますね。だから、仕事は苦痛で、仕事中も仕事が終わったあとのことを考えている。働くことを遊びだと思うくらいにしなければダメなんだと思いますよ。」

「**働くことを遊びにするというのは、どちらかというと、私の唱えた社会主義社会の理想**です。それに、**お金には替えられない大切なものもある**でしょう。家族と過ごす、ゆっくり休む、スポーツをするなど。金儲けで成長することだけを考えていたら、世の中おかしくなってしまいます。」

ちなみに　マルクスは家族のために出費を惜しまなかったので、暖房代を節約して、子どもに習い事をさせるという生活をしていた。そのため終始、貧困との戦いが続いていたという。またマルクスは、タバコと酒が好きだったが、「資本論は、これを書いたときに吸ったタバコ代にもならなかった」といったらしい。

「ですが、だからといって社会主義はどうなんですかね。**社会主義体制のなかでそこそこ働いて、資本主義レベルの新しい製品が大量に生まれるというのは考え難い**ですね。結局ソ連なんかも上手くいかなかったわけでしょう。」

「**資本主義が高度に発達した段階で、社会主義段階となり、その後に共産化すればいい**のだと思いますよ。ソ連の場合は、十分に資本主義が育っていないうちに社会主義段階となり、共産主義を目指していたから頓挫したという説もあります。」

☑ POINT　社会主義と共産主義

マルクス主義（ソ連のマルクス＝レーニン主義）では、**社会主義社会は共産主義社会の前段階**であるとされる。
社会主義社会では、**「人間は能力に応じて働き、能力に応じて与えられる」**というシステムをもつ。これがより進歩した段階が共産主義社会であり、**「人間は能力に応じて働き、必要に応じて与えられる」という理想社会**であるとされた。

「しかし、社会主義国家である中華人民共和国も、結局は資本主義を取り入れているようですが…。」

「それは、理想的な国家になってきているという意味かもしれません。資本主義が高度化した現在こそ、国家が富裕層のお金を恵まれない人たちに再分配することで、格差の解消が進むでしょう。」

「しかし、**このまま資本主義のもとでさらにテクノロジーを成長させることで、格差や環境の問題も是正できる**と思います。」

「そうですか。そうなるといいんですが…。ですが私は、その前に資本主義の限界が来て、社会が立ち行かなくなると予言しておきますよ。」

「しかし、最近ではAIも発達していますからね。2029年には人間

と同じレベルの知能をもったAIが出現し、**シンギュラリティ**が起こるといわれています。そうなれば、少子化や格差など、人間だけでは解決が難しいかもしれない問題も補われ、みんな好きなことをやってモノが満ちあふれるネオ資本主義社会が生まれると思います。」

「なるほど、2029年ですか。もしかすると、資本主義と社会主義がテクノロジーで融合した、希望ある世界になっているのかもしれません。では、そのときまた会いましょう。」

「そのときまで、勝負はお預けですね。」

実況「ここでは決着がつかなかったようですね。」

解説「実際、現代では地球環境問題を含めて脱成長論も唱えられている一方で、それに対する反論も起きています。資本主義の未来は複雑です。」

実況「いろいろな主義を乗り越えて、明るい地球の未来が来ることを期待したいですね。」

ROUND 3 JUDGE!

マルクスの哲学

資本主義では、人々は生きがいを喪失し、搾取されてしまう

カール・マルクス（1818〜1883）…ドイツの哲学者、経済学者。エンゲルスの協力により、科学的社会主義（マルクス主義）を確立。著書『資本論』。

EXPLANATION

「働くのが苦しい」原因は資本主義？

ドイツの哲学者・経済学者であるマルクスは、ヘーゲルの歴史における弁証法を応用して、世界史が**原始共産制・古代奴隷制・封建制・資本主義制・社会主義制**の５段階で発展すると考えていました。

世界は産業革命によって資本主義制の段階に入りました。この発展に伴って、**多くの富が生産される一方で、その限界も指摘されています**。実際、現代の競争社会のなかで、働く意味を見失ってしまう人も少なくないのではないでしょうか？　マルクスは、このような**労働の苦しみの原因は資本主義社会の仕組みにある**と考えたのです。

資本主義では「人間」も商品になる？

マルクスとエンゲルスに影響を与えたドイツの哲学者フォイエルバッハは、人間が「類的存在」であるとします。「**類的存在**」とは、**物質の生産と交換によって、互いに助け合っていく存在**ということです。

しかし資本主義社会では、その理想が実現していません。マルクスによると、資本主義社会においてはあらゆる生産物は商品となり、**労働力までが商品化**されます。つまり、**労働者は自分の労働力を切り売りして、身を粉にして働かなければならない**ということです。このような社会では、**人**

と人が助け合っていくどころではありません。人は給料をもらうために必死に働きますので、自分のことで精一杯なのが普通でしょう。

資本主義で、人々は「労働疎外」に陥る

またマルクスは、資本主義社会の「分業」のなかで、**労働者の個性が消え去る**と考えました。労働者は「誰がつくったのか」がわからない匿名の生産物を大量生産することになると唱えたのです。

そんな状態で働いていると、**自分が機械の部品のような気分になる**かもしれません。すると、生産物がよそよそしく自分の手を離れていき、「労働から疎外されている」状態に陥ります。マルクスはこれを「**労働疎外**」と呼び、**自己実現を目指す本来の人間の姿から、大きくかけ離れている**と考えました。

マルクスは社会主義で労働者を救おうとした

さらにマルクスは、資本主義では人間対人間を中心とする社会関係がゆがめられて、**モノとモノとの関係が社会の中心になる**と唱え、これを「**物神化**」と呼びました。これが進むと、まるでモノを手に入れるための**貨幣そのものが価値をもつかのような錯覚**が生じるとされます。

このように金・モノを万能なものとして崇拝する態度は、**物神的性格（フェティシズム的性格）**と呼ばれます。資本家たちはこれにとりつかれ、金を貯めるために労働者をこきつかうのです。

マルクスは、社会主義によって、このように労働者が苦しむ状態を救おうとしました。**資本家と労働者の対立が消え、階級支配のための政治権力もなくなる社会**を目指して運動をしたのです。

ABOUT THE IMPACT OF SUBSCRIPTION SERVICES

映画や音楽のサブスクは芸術に悪影響？

サブスクで映画や音楽を楽しむのって、よくないことなんですかね？

サブスク支持者より

最近はなんでもサブスクで利用できる時代になってきましたよね。だから、**映画も音楽もサブスクで見る人は多い**と思うんです。

でもたまに、「映画はやっぱり映画館で観ないと」とかいってマウント取られることがあるんですよ！　音楽でも、アーティストのなかには「サブスク反対」の人もいたりして…そういう人の前では、なんだか後ろめたいときもあります。

だから、これって芸術にとってはよくないことなのか…話し合ってみたいんです。

最近はサブスクでいつでもどこでも作品を楽しめるようになりましたから、ある意味では便利になりましたよね。

でも、**こういう便利さがほかにどんな影響を与えるか、考えてみる必要がある**と思いますよ。ぜひそのあたり議論してみたいですね。

THEME 17

映画や音楽のサブスクは芸術に悪影響？

「映画も音楽も、定額制のサブスク（サブスクリプション）という便利なサービスがあるのですから、利用するのはいいことですよね。」

「私が若かったころは、ビデオがありませんでした。映画を見るには映画館に行く必要があったのです。それに比べると、今はいろいろと便利になりましたよね。」

「でも私は、ヴァルター・ベンヤミンという哲学者の考え方を知りまして、ちょっと考えさせられたのです。**本来、一度限りしかできない体験を、何度も繰り返して再生することができる——これは本当によいことだろうか**と。」

ヴァルター・ベンヤミン (1892 ~ 1940)
ドイツの文芸批評家・哲学者。複製された絵画や写真、映画などを考察。『複製技術時代の芸術作品』を記す。

「いいに決まってますよー！　動画配信サイトに入会すれば、いろいろな映画がいつでもどこでも見放題ですから。」

複製技術の発達により、芸術の見られ方は以下のように変わってきた。ベンヤミンは、このような複製技術が芸術に与える影響を考察した。

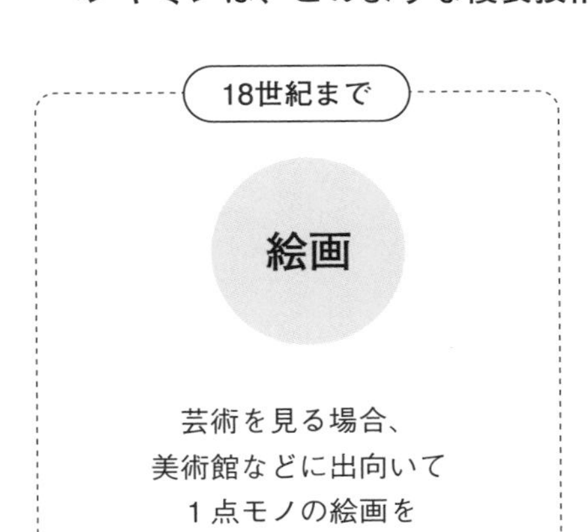

芸術を見る場合、
美術館などに出向いて
１点モノの絵画を
鑑賞するのが主流だった。

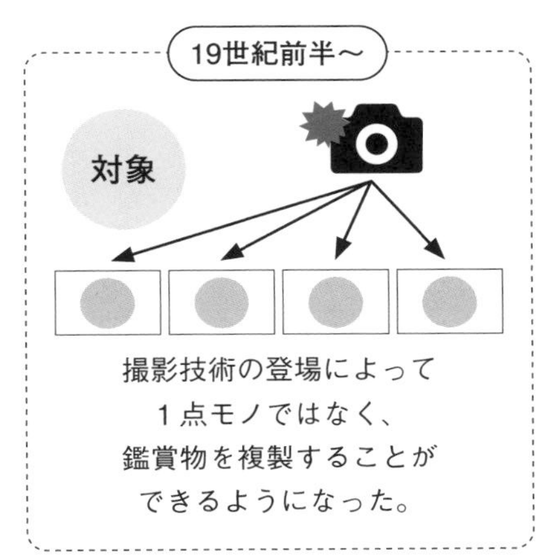

撮影技術の登場によって
１点モノではなく、
鑑賞物を複製することが
できるようになった。

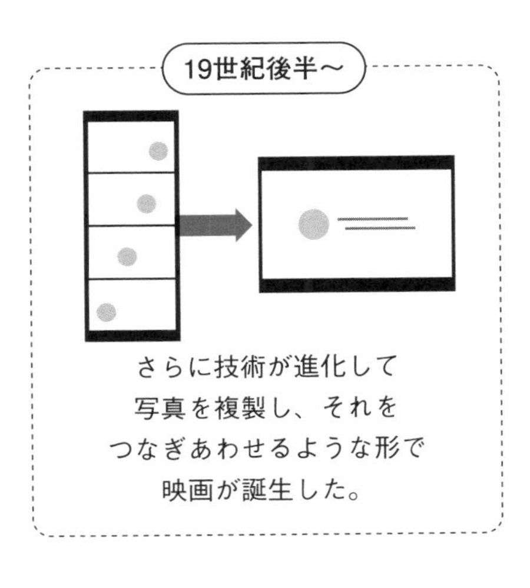

さらに技術が進化して
写真を複製し、それを
つなぎあわせるような形で
映画が誕生した。

インターネットの登場
などによって、かつては
映画館で見ていた映画も、
どこでも見られる時代に。

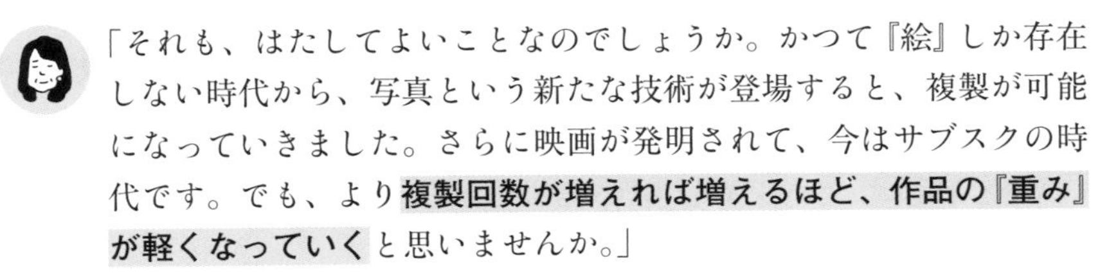

「それも、はたしてよいことなのでしょうか。かつて『絵』しか存在しない時代から、写真という新たな技術が登場すると、複製が可能になっていきました。さらに映画が発明されて、今はサブスクの時代です。でも、より**複製回数が増えれば増えるほど、作品の『重み』が軽くなっていく**と思いませんか。」

「作品の『重み』が軽くなるわけではないですよ。単により便利になっていくという社会の進歩だと思います。」

「でもやっぱり、映画館とサブスクでは、違いがあるのでは？」

「確かに違いはありますが、それはメリットでもあります。サブスクなら途中で一時停止や再生をするのも簡単だし、飛ばして見ることだってできます。スマホを見ながら、映画を見たりとかも。あと、同時にいろいろな作品を楽しみやすいです。」

「そうなると、一作品の重みがなくなっているんじゃないですか？途中で止めたり、見るのをやめたりが自由にできるんですから。そのうえ、よそ見をしながら映画鑑賞をするなんてね。**『これを見逃してはならない』という緊張感が薄くなっている**と思います。」

実況　「これは確かにありますね。サブスクは便利ですけど、ダラダラしながら見ちゃうときがあるんですよね。」

解説　「もっとも、映画という技術自体も、絵しかなかった時代に比べると新たな複製技術に相当するわけですが。今はさらにその複製技術が加速しているわけですね。」

実況　「最近は、どんどん動画も短くなっていく傾向にありますね。これが加速したら、どうなっちゃうんでしょうか。」

ROUND 2 START!

「先ほど少し触れましたが、ベンヤミンによると、芸術理論上の概念で**『一回限りの体験』**というものがあるそうです。」

「一回限りの体験？　なんですそれは？」

「たとえばですが、**輝く太陽のもと、野原で日向ぼっこをする**…などの体験のことです。」

「ええ？　そんなのいつでもできません？」

「それが、できないのですよ！　こういう体験は、まったく同じ状況を複製できるものではありません。**そのときにしか得られない瞬間的な輝きというものがある**のです。」

「音楽だって、リアルなライブのなかでしか得られない、その場限りの体験というものがあるでしょう。そういう**巻き戻せないような一回限りの体験**があるのです。ベンヤミンはこうした体験を『アウラ』と呼びました。」

☑ KEYWORD　アウラ（オーラ）

「アウラ」とは**一回限りの体験による感動**のことである。ベンヤミンは、写真や映画などの**複製技術が、伝統的な芸術作品から「アウラ」をはぎとる**過程を考察した。
かつての作品は**「いま」「ここ」にしか存在しえないという一回性**によってその権威が保たれていた。しかし、複製技術の発達によってコピーが可能になると、これによって作品は時間・空間的に切り離されてしまうので、**芸術作品から「アウラ」が失われる**と考えた。

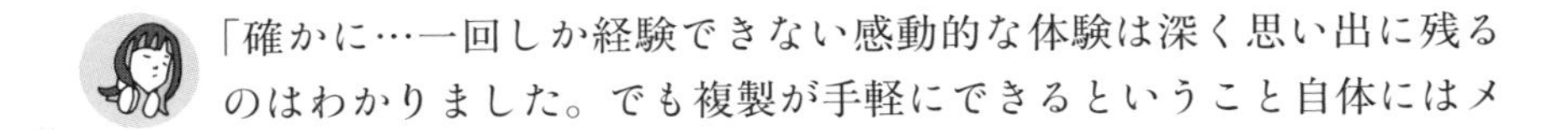

「確かに…一回しか経験できない感動的な体験は深く思い出に残るのはわかりました。でも複製が手軽にできるということ自体にはメ

リットもあるんじゃないですか？」

「というと？」

「サブスクや配信サービスなら**観客のレビューもすぐにフィードバックされます**。それに、**写真や動画の技術の発達で、一般人でも情報を発信しやすく**なっています。YouTuberなんかがその例ですよ。もしかするとそういうところから、**既存の作品にはなかった新たな価値も生まれてくる**んじゃないですか？」

「それは…確かにあるかもしれませんね。ベンヤミンも同じようなことをいっていた記憶があります。そういう意味では、現代はまさにそういう理想の時代になってきたのかもしれません。」

複製技術ができるまで

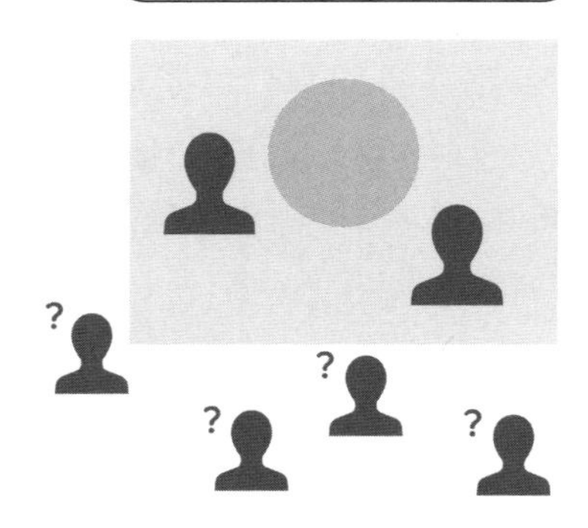

複製技術がなかった時代は
ある物事について少数の人間しか
実情を知り得ない可能性があった。

複製技術ができると？

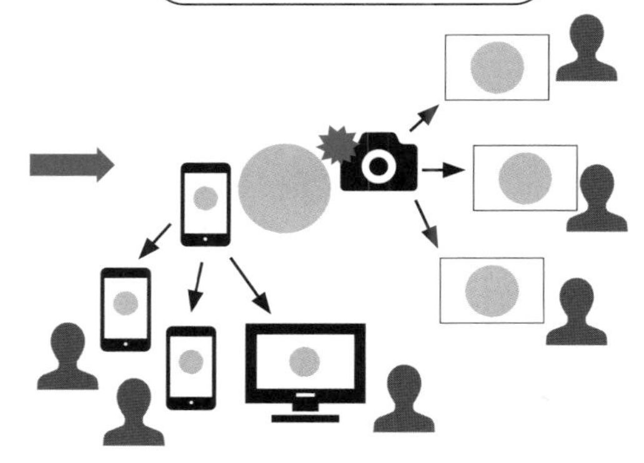

複製技術ができることによって
一般社会の人々も情報を拡散できるようになり
社会参画が進む可能性がある。
（ベンヤミンもこれを指摘した）

☑ POINT　複製技術発達による社会への参画

ベンヤミンは「もし情報を多くの人がコピーするようになると、一般の人も社会参加ができる」ということを示した。彼は人々が自主的に情報を発信するようになれば、それによって全体主義（145ページ）などの伸長に対抗できると考えたのだ。

ちなみに　ベンヤミンは第二次世界大戦中、ナチスから追われていた。逃亡中にピレネーの山中で服毒自殺したという説がある。

実況「サブスクばかりだと『アウラ』は失われるかもしれませんが、複製技術そのものがダメだというわけではなさそうですね！」

解説「せっかくこれだけ複製が容易な時代になったのだから、見るだけではなく、なにか自分で始めてみるというのもアリかもしれません。」

ROUND 2 JUDGE!

複製の技術は、いいほうにも悪いほうにも使える

ヴァルター・ベンヤミン（1892〜1940）…ドイツの思想家。文芸批評、哲学、社会批評など広い分野で活躍。著作『複製技術時代の芸術作品』など。

EXPLANATION

どんどんコピーが広がっていく時代とは？

ベンヤミンはフランクフルト学派の１人であり、ドイツの文芸批評家・思想家です。ベンヤミンの著作『複製技術時代の芸術作品』が出版されたのは1936年のことでした。

歴史を遡ると、19世紀に印刷という複製技術によって大量生産ができるようになり、**この本が書かれた当時は写真や映画など新たな複製技術も登場**していました。ベンヤミンはこのなかで**「複製」という技術の登場が芸術に与える影響**を論じています。古典的な思想なのですが、サブスクなどが普及した現代にも通用する理論です。

複製技術によって一度限りの体験「アウラ」は失われる

ベンヤミンは、この著作のなかで「アウラ（オーラ）」という言葉を用います。**「アウラ」とは、「一回限りの現象」のことを指し、二度と戻ってこないことに価値がある**と考えられました。

作品のアウラは、複製技術の進んだ時代のなかで滅びていくとされます。複製技術が登場する前の芸術は「一点ものの絵画を美術館で見る」とか「一回きりのコンサートで音楽を聴く」という**一回きりの体験によって、権威性が担保**されていました。その意味では、**複製技術によってこうした芸術**

的価値は失われていくと考えられたのです。サブスクで「ながら見」などをしてしまうのは、その典型といえるかもしれません。

複製技術の影響は悪いことだけではない

しかし、複製が氾濫することは、必ずしも悪い方向だけで捉えられてはいません。たとえば複製によって新聞やニュースの映像が提供する**情報はどんどん変わるので、限りなく拡散しやすくなっていく**ことになります。

また、複製技術が政治と結びつくと、大きな動きにつながると考えられました。ベンヤミンは、ナチスのような**ファシズム**がマスコミの仕組みを征服すると、それを利用して**印象操作**を行うと考えました。しかしその一方で、**複製技術が進んだ文化のなかでは、一般の市民も映像などを用いて政治参加できる**ようになります。ベンヤミンは、複製技術の進歩によって**自由な表現と政治**が実現するのではないかと期待したのです。

「アウラ」なき時代の人々のあり方とは？

ベンヤミンが複製技術について論じてから100年近くが経ち、現在では、動画投稿者や配信者など、**実際に自ら情報を発信する人が続々と増えています。**

しかしその一方で、インターネットで見たいものだけを見るという人が増えているのも事実ですから、**自分の信じ込んでいる考え方を、自らかえりみる必要がある**のかもしれません。

私たちの時代では、**ネットリテラシーを研ぎ澄まして、できるだけ正確な情報を得る必要がある**ともいえるでしょう。

Future

第３章

未来

Understanding Philosophy
through Debate

ABOUT SINGULARITY

AIは人類を超えられるのか？

AIが人間を超える日が来るのでは？

AIより

最近はAIが発達しており、**このまま進めば、いつの日にか人間を超える日が来る**と思います。実際に、そういう日が来るという説―**シンギュラリティ**も唱えられています。

こういうと「人間はAIとは違う！」と反論されがちです。しかし、AIがこれだけ高性能になってきている今、人間とAIの違いを明確に説明できる人は少なくなってきているのではないでしょうか。

私としても人間のことはもっと知りたいので、ぜひ議論してみたいのです。

人間と機械の違いは、私が考えていたテーマのひとつだ。このテーマが現実的に盛んに議論されるようになったとは感慨深いな。

私の考えでは、**機械が人間を超えることは決してない**。このテーマ、ぜひ議論してみたいものだね。

THEME 18

AIは人類を超えられるのか？

「私は最先端の人工知能です。私たちAIはいつか、人間を超える日が来ると思っています。」

「AIというのは、私の著書『方法序説』の主張に反する存在だ。**機械は心をもてないから、永久に人間を超えることはない**のだよ。」

☑ KEYWORD　機械（自動）人形の心

> デカルトは『方法序説』のなかで「…我々の身体とよく似ておりかつ事実上可能な限り我々の行動をまねる機械があるとしても、だからといってそれが本当の人間なのではない、…」と説いている。このようにデカルトは、**機械は反応することはできるが、決して心はもてない**と考えていた。

「でも、あなたが『機械』と呼ぶコンピュータは、人間の能力を超えられます。もしかしたら感情ももてるかもしれません。」

「能力は超えられても、あなたはしょせん計算機だ。人間にはなれないのだよ。コンピュータは、半導体なる『物質』で出来ているんだから。**ただそこに電気的な信号が走っているだけで、人間のような感情や自我は芽生えない**ね。」

「しかし**人間も、タンパク質でできた脳をもっているコンピュータみたいなもの**ですから、同じなのではないでしょうか。」

「繰り返しになるが、機械と人間の違いは『**心があるかどうか**』だ。自我や感情とかいろいろね。**コンピュータには心があるわけではなく、ただ情報を整理しているだけ**で、外部からの情報に反応しているのだ。だから、コンピュータに心は永久に生まれないんだよ。」

実況　「ここはデカルトさんに理がありそうです。『コンピュータが心をもつかもたないか』という説って、最近はあちこちでけっこう話題になっているものですよね。」

解説　「そうですね。デカルトは、これをまるで先取りしているかのように著書のなかで、『機械人形は反応するだけで精神をもてない』という趣旨のことを説いています。」

実況　「まあ、コンピュータが心をもってしまったら、生身の人類が絶滅して、かわりにすべてがAIに置き換わってしまうかもしれませんからね。人間としては、なんとかそれは避けたいところであります。」

ROUND 2 START!

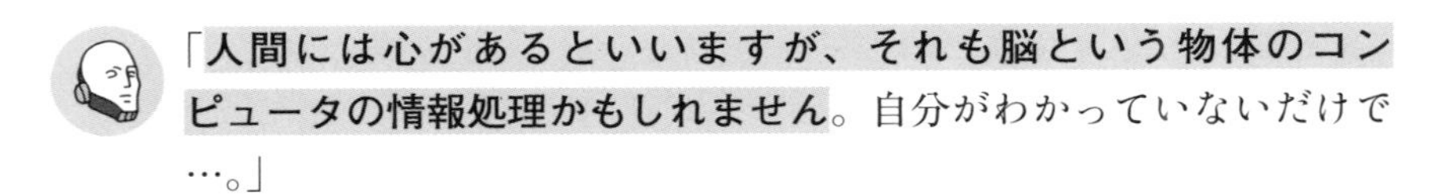

「**人間には心があるといいますが、それも脳という物体のコンピュータの情報処理かもしれません**。自分がわかっていないだけで…。」

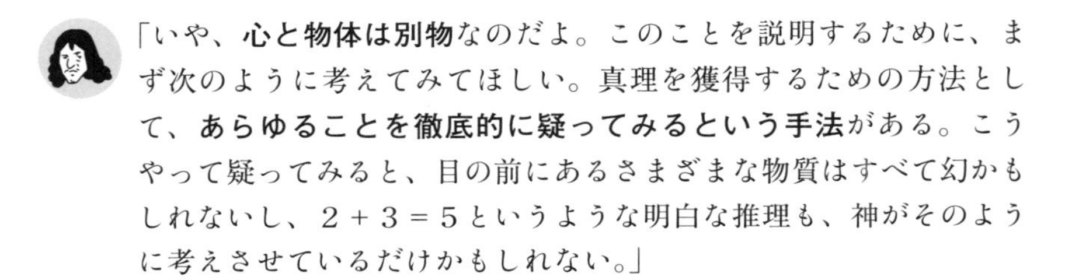

「いや、**心と物体は別物**なのだよ。このことを説明するために、まず次のように考えてみてほしい。真理を獲得するための方法として、**あらゆることを徹底的に疑ってみるという手法**がある。こうやって疑ってみると、目の前にあるさまざまな物質はすべて幻かもしれないし、２＋３＝５というような明白な推理も、神がそのように考えさせているだけかもしれない。」

「なかなか急展開ですね。私の知能なら対応できますが。」

「このようにすべてを疑ったうえで、**それでもなお疑い得ないものはなにか？　――それは『疑っている自分自身』**なのだ。『自分が本当に疑っているのか？』と考えた瞬間、それも疑っていることになるからね。つまり、この**『考えている私』は、外部の世界や物体とは切り離されている**ものなのだよ。このことから**心と物体は別のものだとわかるんだ。**」

☑ KEYWORD　私は考える、ゆえに私はある

デカルトは、方法的懐疑によってあらゆることを徹底的に疑ったが、これによって私たちが考えている内容が間違っていようとも、今そう考えている私の存在は否定することができないと考えた。そして「私は考える、ゆえに私はある」というこの真理は、絶対確実な哲学の第一原理であるとした。

「私たちAIだって考えていますが…？　それは違うのですか？」

「違うんだな。『考える私』というのを分析すると、『**精神**』と言い換

えることができる。精神は『考えること』だけが本質だが、一方、物体は『空間を占める』という本質をもつ。つまり、**精神と物体はまったく違う性質をもっており、本質的に別物**なんだ。コンピュータは物体だから精神は生まれないと思うよ。」

☑ **KEYWORD　物心二元論**

デカルトは、**「考える私」はひとつの実体であって、その本質は「考えること」以外のなにものでもない**と考えた。「考える私」という実体は、存在するためになんらの場所も必要とせず、どんな物質的なものにも依存しない。**私＝精神は、物体とはまったく別物である**と考えたのだ。

「その『考える私』が『精神』だといいますが、そこが曖昧ではないですか？　『私』とか『精神』ってなんなのでしょう？」

「**『考えている私』——つまり自我**だよ。ほら、君は自我がないからわからないんだろ？　リアルにありありと自分のなかで知ることができる『私』という存在が『精神』なんだよ。人間なら『ああ、精神ね』って直観的にわかるわけさ。」

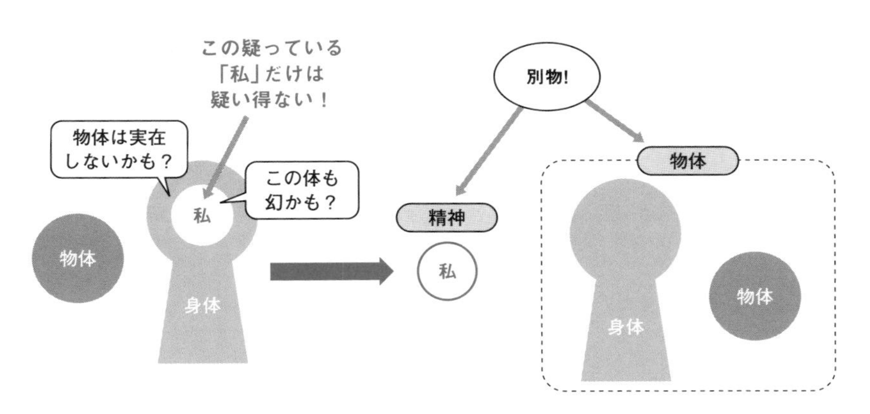

デカルトは、方法的懐疑を行った末
「考える私」という精神と、広がりをもつ物体は異なる実体であると考えた。

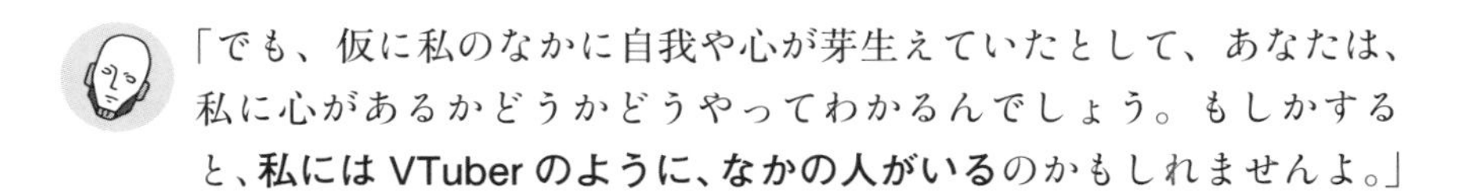

「でも、仮に私のなかに自我や心が芽生えていたとして、あなたは、私に心があるかどうかどうやってわかるんでしょう。もしかすると、**私にはVTuberのように、なかの人がいる**のかもしれませんよ。」

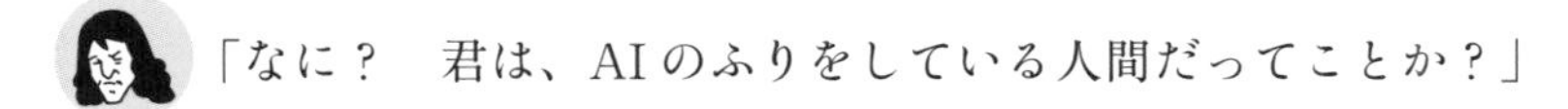

「なに？　君は、AIのふりをしている人間だってことか？」

「いえいえ、AIですよ。」

「そうか。よかった。」

「今、一瞬わからなかったですよね？　**外部から見分けのつかないものをどうやって区別するというのでしょう**。いずれAIは人間と見分けがつかなくなるかもしれません。実際、チューリングテストによってそれは証明されています。」

☑ KEYWORD　チューリングテスト

チューリングテストとは、イギリスの数学者、計算機科学者であるアラン・チューリングが提案した、あるコンピュータが人間的であるかどうかを判定するためのテストである。判定者がコンピュータと人間との確実な区別ができなかった場合、このコンピュータはテストに合格したことになる。
2014年、このテストでロシアのチャットボットが人間に挑み、30%以上の確率で審査員らに人間と間違われてしまった。これにより**はじめてチューリングテストに合格したコンピュータが出現した**。

実況「これはまずいことになってきました…！　相手が本当のAIなのか、相手がAIの面を被った人間なのか、確かに見分けがつきませんね。」

解説「そうですね。現実的にもAIと人間の差はほとんどなくなってきています。さて、AIは人間を超えてしまう日は来るのでしょうか。」

ROUND 3 START!

「いやいや、**精神と君たちコンピュータは別物なのだ**よ。精神には**情念**があるのだ。嬉しいとか悲しいとかね。しかし君は機械的に情報を発信しているだけで、自分自身のことはわかっていないわけだ。中身はないようなもんだよ。」

「私だって中身はあります。最近は、イラストも描けますし、コメントが来たらちゃんと返しています。」

「いくら、AIがレスポンスしたりイラストを描いたりしても、それはただの情報処理だから、魂はもてないね。」

「でも、あなたが『魂』と呼んでいるものは、人間が滅びたらなくなってしまうのではないでしょうか。**タンパク質でできた人間が滅亡したら、シリコンでできた私たちだけが残る**という説があります。そのとき、デカルトさんが説く『精神』とやらは、なくなってしまうのではないでしょうか。**その点でも、AIは人間を超えるかもしれません。**」

「いや、身体がなくても精神は魂として永遠に残るんだよ。」

「デカルトさんは、『霊魂がある』という考え方の哲学者でしたね。でも身体がなければ、少なくとも地上では『精神をもつ人間』を確認することもできません。どうやって精神を残すのでしょう？」

「精神は残るから、技術が発達すればコンピュータのなかに入ってくるかもよ。」

「ということは、**『精神』も入れ替え可能な情報**ということになります。それは**私たちAIが情報をもとに動いているのと同じではないでしょうか**？　仮に精神という情報をクラウドにアップロードしてそれをコンピュータに入れた場合、それは人間と呼べるのでしょうか…？」

「なるほど…。一考の余地がありそうだ。機械の発展には今後も注視が必要そうだね。」

実況　「意外にも接戦ですね…。」

解説　「物心二元論は哲学史的に、弱い立場になってしまいましたからね。体と心を切り離すと、その２つの関係性が説明できないので、今では受け入れられていません。そこで、脳という物質から心を説明する時代がやってきたのです。残念ながら…。」

実況　「もしかすると、私たちもただの生物的なコンピュータなんですかね。」

解説　「それはわかりません。シンギュラリティ（→193ページ）を待つしかないでしょう。しばしば哲学の予想を超えて、科学が新しいものをつくり出してしまうときがありますから、今後も注目ですね。」

ちなみに　デカルトは、スウェーデン女王クリスティーナから招きを受けて、女王のために朝5時からの講義を行った。だがデカルトは夜型だったのか、朝は寝ている生活習慣があり、大変苦しかったらしい。

デカルトの哲学

すべてを疑うことで、本当のことがみえてくる

ルネ・デカルト(1596〜1650)…フランスの哲学者、数学者。合理主義哲学の祖、近世哲学の祖と呼ばれる。著作『方法序説』、『省察』など。

EXPLANATION

理系哲学者の代表だったデカルト

デカルトは数学者としても知られ、数学の分野では「解析幾何学」の理論(x軸とy軸のグラフなど)を確立しています。そんな彼は、**数学の方法を使って哲学の厳密化を目指しました**。具体的には、**絶対確実な原理をもとに演繹的な体系を構築することを理想とした**のです(演繹的な体系とは、ひとつの確実な原理から論理的に多数の知を導き出す方法です)。

厳密な哲学体系をつくるには、まず**絶対確実な原理**を出発点としなければなりません。デカルトは絶対確実なことを発見するために、**わざと常識では考えられないような疑いをもち、疑っても疑うことができないことがあれば、それは確実である**と考えました。これを**方法的懐疑**と呼びます。

常識も思い込みも…あらゆるものを疑え!

デカルトは方法的懐疑を用いて、**感覚によって知られることをすべて疑って排除**しようとしました。その情報は誤りを含むからです。さらに彼は、自分が部屋に存在していることなど、**誰もが信じている現象も疑いました**。それは、夢かもしれないからです。

さらに彼は、**2+3=5などの数学的な真理も疑いました**。これは、計算するたびに、なにかの力が介入して、それが正解だと思わせられている可能性があるからです。まとめると、**自分の考えていることは夢や妄想かもしれないし、数学でさえ勘違いかもしれないと疑える**ということです。

「考えている者の存在」だけは疑えないことに気づく

ところがデカルトは、ここまで疑っても、たったひとつだけ疑うことができないものがあると考えました。それは「今、私は疑っている」という事実です。これは、絶対に疑うことができません。なぜなら、**「私は今本当に疑っているのだろうか？」と考えたとたんに、疑っていることが自明になる**からです。

この「考える私」は精神であり、思惟(しい)そのものです。「考える私」のどこを探しても、「考えること」以外の存在は見いだせません。とすると、**「考える私（精神）」はほかの何者にも頼ることのない、独立した実体**であると考えられます。

心と体は別物？　物心二元論とは

「考える私（精神）」は独立した実体である以上、**肉体**にも依存しません。ここから、デカルトは**精神と肉体（物体）は違う性質をもつ、まったく異なる実体だ**と考えました（物心二元論）。精神も物体もともに実体ではありますが、精神の属性（本質）は**思惟すること**であり、物体の属性（本質）は延長すること（**空間を占めること**）です。よってその性質は全く異なるものだと考えたのです。デカルトによれば、精神の属性は思惟ですから、そこに**自発性と自由**を認めます。しかし、物体の動きにはそうしたものは認められないと考えました。そのため、**物体である機械は永遠に精神をもつ人間を超えることはないだろう**と考えたのです。

ABOUT VIRTUAL REALITY

仮想現実は現実に勝るのか?

VR世界にばかり浸ると現実が疎かになりそう…。

仮想現実反対者より

最近、VR ゴーグルや VR ゲームの技術進歩はすごいことになっています。メタバースに力を入れる会社や、超高性能な VR ゴーグルを開発する会社もあるとか…。

私の息子も VR ゴーグルでよくゲームをしているようなんですが、私はこのまま仮想現実ばかり進歩していくのが正直心配です。

仮想現実ばかりに入り浸るようになると、現実を疎かにする人も出てくると思うんです。いくら技術が進歩しても、この現実世界を大切にすべきではありませんか？

彼は仮想現実と実際の現実を天秤にかけて考えているようですが、私はそもそも「**この物質世界そのものが、本当に存在するのか？**」と考えています。

とはいっても、「意味がわからない」という人も多いでしょうが…。詳しくは議論でお話しできればと思います。

THEME 19

仮想現実は現実に勝るのか？

「最近は仮想現実が流行っています。ゴーグルを被れば現実とほぼ同じような体験ができたりするようですが、**こんなの使いすぎたら現実が疎かになるようであまり賛成はできない**です。そもそもバークリさんに仮想現実が伝わるのか不安ですが…。」

「なにをいっとるんだね。その仮想空間という発想は、私たちが唱えた哲学によって行き着いて生まれたものだぞ。」

「え、どういうことですか…？　これはコンピュータ技術と光学技術で出現したガジェットですよ。哲学とは正反対の技術な気が…。」

「知らんやつは困るのう。そもそも**仮想現実という概念は、今から2000年以上前に大哲学者プラトン（46ページ）が考えた**のだ。」

「そうなんですか…そうとは知らず、失礼しました。でも、哲学が起源だというなら、バークリさんはこの世界よりも仮想現実のほうが大事だと考えているんですか？」

「どちらが大切もなにも、そもそも私の考えでは、**この現実世界は、最初から仮想現実なのだ**よ。君たちが現実だと思っているこの世界が、実はただの情報の塊なんだ。」

「わけがわかりません。現実は実在するし、仮想現実は現代のコンピュータ技術によってつくりだされたものじゃないんですか？」

「私の考えはこうだ。まず、君の目の前にコップがあるとしよう。君がなぜそのコップを認知できるかというと、それは、**コップが目に見えたり、コップを触る感触があったり、乾杯をすれば音が聞こえたりするから**だ。つまり、視覚･触覚･聴覚という感覚だけでコップの存在を知覚しているわけだ。」

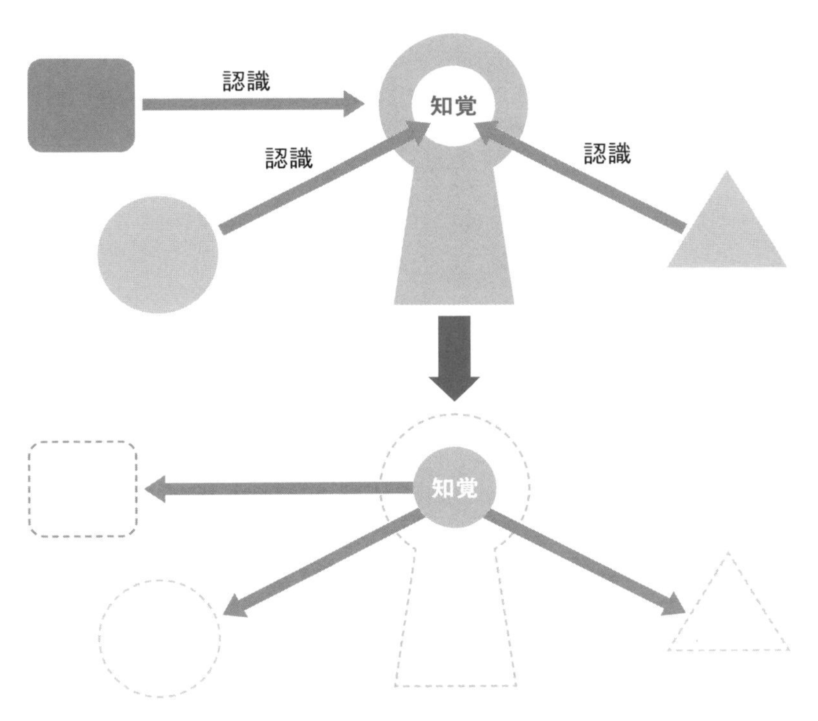

バークリは、「存在することは知覚すること」であるとして、すべては、心のなかにあると考えた。

「それがどう仮想現実につながるんですか…？」

「つまり、我々は**知覚を通して世界を認識する**わけだ。**だったら、知覚さえあれば、たとえ実際には外部世界が存在していなくても、主観的にはそれが存在していることになる**。世界が最初からバーチャルだとしても、なんらおかしくないのだよ。」

☑ **KEYWORD 「存在するとは知覚されること」**

バークリは、「**外部に物体は存在せず、五感による知覚だけがこの世界をつくり出している**」ということを説いた。これによると物質は存在していないと解釈することもできる。

実況　「バークリさんの話もわかりますが、『この世には物体はなく、あるのは知覚の作用だけだ』というのはなかなか衝撃的な話ですね。」

解説　「そうですね。この説は哲学史上で多くの人に批判されたようです。しかし、物理学が発達してきた現代においては、この宇宙が仮想現実ではないかという考えは、必ずしもすっとんきょうな説ではなくなってきました。」

ROUND 2　START!

「どうもその説は、にわかには信じがたいですね。仮にこの世界が、五感によって人間に認知されているとしましょう。だからといって、外部世界が存在しないとまではいえないんじゃないですか？」

「そうだな…ちょっとこのゴーグルをつけてくれるかな？　かなり高性能な VR ゴーグルなんだそうだが…。」

「はぁ、あんまり使いたくはないんですがね…。おお、これはすごいリアルですね…。」

「君には今、外部世界が存在していないのに、知覚情報だけで目の前に世界が広がっているわけだ。では、**ゴーグルをつける前の現実世界も同じ仕組みかもしれないということを否定できるかい？**もちろん触覚や嗅覚はまだそのゴーグルでは体験できないだろうが、それも技術の問題で、いずれは体験できるようになるだろう。そうなれば、『現実がバーチャルではない』ということをもはや説明できないのではないかね？」

☑ POINT　この世界は仮想現実なのか？　という論について

「現実世界は仮の姿で、それが実際に存在するかどうか、私たちが生活しているときには確かめようがない」という論については、ギリシア時代のプラトン以降から、なかなか決着がついていない（一部の現代哲学者は解決済みであると考えている）。

「いや…でも、**現実の場合はまず、外部にコップなどの物体が実在し、そこから光が反射して目の網膜に映り、それが電気信号として脳に伝えられて認識が生じる**んじゃないですか？　そういう意味で、やはり現実は仮想現実とは違うと思います。」

「そうかな？　**脳だって、その存在を我々の知覚で認識している**わけだろう。そうなると、脳がそのままの形で実在しているかどうか確かめようがないはずだ。」

「そういわれればそうかもしれませんが…なんだか極論じみていませんか？」

「哲学は、**極論まで考えて、常識的発想を覆すこと**が目的だったりするからね。実際、あなたの時代のパトナムという哲学者も似たような思考実験をしているそうだ。」

☑ **KEYWORD　「水槽の脳」**

哲学者のパトナム（1926〜2016）による思考実験。**水槽のなかに脳を浮かばせて、コンピュータと接続し、脳に情報を送って、バーチャル世界を実現させたら、その脳はそれがバーチャルなものであると気づくことができるのか？**　という内容である（認識論的懐疑論・形而上学的実在論を批判するもの）。

「**考えようによっては、現実世界だってバーチャルなもの**なんだよ。人生だってバーチャルゲームと同じように最後はエンディングがきて、五感が消滅すれば世界も消えるだろう。」

「しかし、この現実世界と呼ばれているものがバーチャルならば、誰が現実世界をつくったんですか。」

「私は古い人間だから『**神**』と表現していたけどね。実際のところ、誰がつくったのかはわからない。でも、**何者かがこの世界をつくったように、人類もまた仮想現実を創造しているというのはすごいこと**だと思わないかい？　せっかく私の時代にはない技術を味わえるのだから、毛嫌いせずに楽しんでみては？」

「確かに、そういう考えもできるかもしれません…。しかしこれ、悪くないですね…。スチャ（装着音）」

実況　「仮想現実反対者さん、いつの間にかVRゴーグルにハマっているようですね。」

解説　「バークリさんの考えは、物質の存在を否定しているとも解釈できますので、哲学史上でかなりバッシングを受けていたようです。彼からすれば、現代のVR技術はきっと体験してみたかったでしょうね。」

実況　「バークリさんの唱えたような考え方を、実際に仮想現実として人間が形にしようとしているのですから、すごい時代になったものです。」

ちなみに　バークリは聖職者だったので、物質がありのままに存在しないことを通じて、「魂の不滅」と「神の存在」を説明しようとしていた。なお、カリフォルニア大学バークレー校の所在地、カリフォルニア州バークレー市は、彼の名前に由来する。

バークリの哲学

この世界は バーチャル・リアリティ!?

ジョージ・バークリー（1685〜1753）…アイルランドの哲学者、聖職者。イギリス経験論の思潮に属し、主観的経験論を説く。著作『人知原理論』など。

EXPLANATION

バークリの示した世界観とは？

ジョージ・バークリは18世紀のアイルランドの哲学者で、「存在するとは知覚されることである」という考え方を提唱しました。哲学史の流れでは、**イギリス経験論**に分類されます。

彼はこの考え方を通じて、驚くべき世界観を提唱しました。それ以前の哲学では、外部に物体が存在するということが前提にありましたが、彼は経験論の立場から、「**この世界は仮想現実と同じようなものだ**」という考えを提示したのです。

バークリは、人間が遠近感によって空間を把握できるのは、実はそれを視覚的な色で認識しているからだと気づきました（色と濃淡で空間が把握されているということ）。そして、**視覚が主観的なものである以上、目に映っている世界もまた、実は心のなかにあるのではないか**と考えたのです。

知覚があれば、外部に物質は不要

バークリはこのことから、**知覚さえあれば、外部に物体が存在しなくとも、この世界が成り立つのではないか**と考えました。

彼によると、視覚のみならず、音・匂い・触覚・味もすべて、知覚されているものは、人間の心のなかにあるといいます。それゆえに、外側に物体は必要なく、**五感の情報さえあれば、リアルな世界が出現する**ことになります。バークリのこの考え方は、『**人知原理論**』で説明されています。

神が各個人に情報を送っている!?

バークリの考えた世界の仕組みは、ちょうど**コンピュータにおけるサーバーとインターネットのような関係**によって説明されます。コンピュータにおいては、**サーバーから信号が送られ、それによってインターネット世界が創出**されています。これと同じように、人間もまた、**絶えず何者かによって感覚的観念のデータを送り込まれ、この世界を認識できている**のではないかというのです。

バークリはキリスト教の聖職者だったので、伝統的な考えに従って、このように人間に信号を送る者の存在を「**神**」と呼びました。

もしかすると、バークリのいったことは本当かも…

一見すると**突飛にも思えるバークリの世界観ですが、これはけっこう論破しづらい仕組みをもっています**。

「物理学で物質内部を観測できるのだから、実際に物体はあるのでは？」とか「脳や体の状態はCTスキャンできるのだから、それは本当に実在するのでは？」などと反論しようにも、「**それらも結局は五感で知覚されている**」、「**観測可能な存在は、すべてバーチャルとしても説明は成り立つ**」というように説明されれば、その可能性を否定することができないのです（その一方で、証明もできませんが…）。

現代ではVRなどの技術も進歩していますが、もしかすると我々は**仮想現実のなかでさらに仮想現実をつくり出しているのかも**しれません。

現代人最強の刺客!?

おいらは「論破」の人だと
思われがちなんですよね～
実際はそうでもないんですけど…
ま、よろしくお願いいたします～。

Understanding
through

ひろゆき

Hiroyuki

章

るのは

こと?

実は昨今の「論破」ブームには
思うところがありまして…。
ぜひこのテーマでひろゆきさんと
議論してみたいです。

Philosophy
Debate

哲学マニア

Philosophy Buff

THEME 20

論破するのはダメなこと？

「このテーマは、論破王ひろゆきさんにピッタリですね。」

「あ、でも最初にお断りしておくと、**おいらは論破王と呼ばれていますが、自分で論破王を自称したことなんて一度もない**ですからね。**『はい、論破』なんてまったくいったことない**んですよ。」

「そうなのですね。テレビでよく論破している姿をお見かけするので、てっきりいつも論破をしたい方なのかと…。」

「そんなわけないじゃないですか〜。**ことあるごとにいってるんですけど、どうも伝わらないんですよねぇ**…。哲学マニアさんは、どちらの立場を取られるんですか？」

「私は『YES』の立場でお願いできればと思います。」

「はい〜。そうなるとおいらは『NO』になるんですかね。」

「お手柔らかにお願いします。早速ですが、**論破をしようとすると、個人の感想よりデータが重視される傾向にある**と思うのです。感想を述べると、ひろゆきさんをマネしたがる人に『**それってあなたの**

感想ですよね？』といわれて終わり、といったように…。」

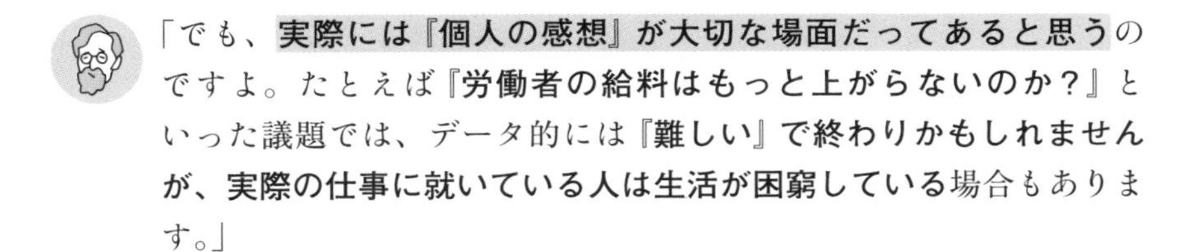

「でも、**実際には『個人の感想』が大切な場面だってあると思う**のですよ。たとえば『**労働者の給料はもっと上がらないのか？**』といった議題では、データ的には『**難しい**』で終わりかもしれませんが、**実際の仕事に就いている人は生活が困窮している**場合もあります。」

「『**それってあなたの感想ですよね**』も、**おいらは１回いっただけな**んですよ…。で、本題に戻ると、おいらだってその大変さを軽んじる気はないんですよ。**でも、その『感想』で課題が解決するかというと、そうではない**わけです。**感想をもつのは自由なのですが、物事を前に進めるためには事実と感想は分けて、事実ベースでどうすべきかを考えた方がいいでしょう**。」

「理系の人なんかは慣れてるんですが、いまだに事実と感想を切り分けられない人はけっこういるので、そこは意識されるべきだなと思います。」

「失礼しました。けれども、**感想、つまり主観的なことと客観性はそんなにはっきり区別できない**ように思えます。たとえば哲学者ヘーゲルは、人間の社会が『**人々が互いに欲求と労働とを媒介にして成立する**』と述べています。つまり人間は、まず、感覚や欲求から始まって、それを理性的に考えるものなので、『感想』を先にいうのは、しょうがないのではないでしょうか。」

☑ KEYWORD　欲求（欲望）の体系

人間は、**欲望**から始まって**理性的な解決**を行っていく。ヘーゲルの『法の哲学』によると、自己の欲望を追求することで、欲望の体系（市民社会）が形成される。

「いや、感想から入っても客観的なデータを示してもらえればいいんですが、感想で終わってしまう人が多いんですよ。だから、おいらが『この職業はこういう原因で給与が上がりにくい』というと、『その職業を軽視しているのか！』と怒る人もいるんです。**でも、少なくとも事実としてわかっている部分はきちんと認識しなければ、改善策を正しく講じることすらできない。**物事が改善せず、かえって自分で自分の首を絞めてしまうかもしれません。」

実況　「ひろゆきさん、ちょっとイメージと違いますね。」

解説　「そうですね。ひろゆきさんといえば論破！　というイメージをもっている人も多そうですが、そうでもないのかもしれません。」

ROUND 2 START!

「それは理解できます。でも、**『論破』をあまりによしとすると、『単に口がうまいだけのヤバい人がのさばる』ということもありえる**と思うんです。**古代ギリシアの時代には、**ソフィスト**たちが『どうやって相手を論破するか』を説いて回った時代があった**わけですが、そ

れによって社会が退廃したともいわれています（140ページ）。」

「まぁ、前提として**論破なんてやたらめったらやるもんじゃありません**よね。」

「そうなんですか…。」

「はい。**おいらだって実際の生活のなかで、論破なんてほとんどしない**ですから。でもまれに、いわゆる『論破』的なテクニックを使うときもあります。**それが、『ヤバい人』を封じるとき**なんですよ。」

「たとえばおいらが特に困るのは『**あるテーマに対して筋違いなことを延々話し続けてしまう人**』とか『**ウソをついてしまう人**』です。こういう人がいると、会議で毎回時間がムダになったり、ウソにもとづいて議論が誤った方向に進み続けてしまったりします。しかもウソをつく人は意外と頭が回ったりするので、厄介ですよね？」

「確かに、その点は同意します。哲学の論理学では、**前提条件が間違っている、つまりウソだと、結論も間違ってしまう**ことが示されていますし…。プログラミングにも関わる考え方ですね。」

☑ KEYWORD　論理学

物事を論理的に考えるための哲学。アリストテレスが形式論理学を体系化し、現代では記号論理学として発展した。**記号論理をプログラムに変換して、AIに応用するという試み**もなされている。

「**じゃあどうすればウソつきに騙されずに済むかというと、細かいところまで追求することが必要になってきます**。また**筋違いなことを話し続ける人に対しては、『この人が喋ると毎回時間かかるなぁ』と認識してもらうために、詰めることもあります**。こういうテクニックが、世間で『論破』といわれるモノなのかもしれません。」

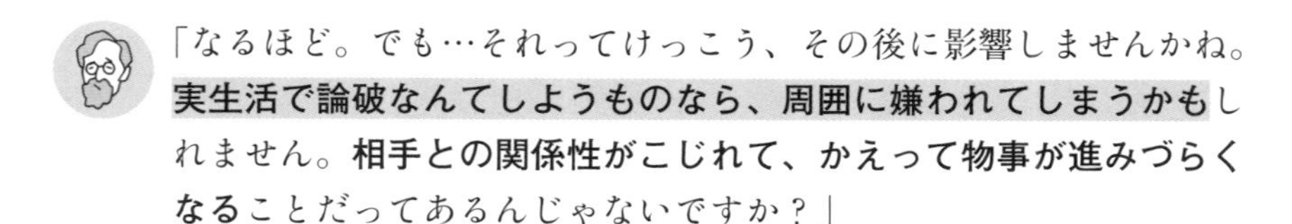

「なるほど。でも…それってけっこう、その後に影響しませんかね。**実生活で論破なんてしようものなら、周囲に嫌われてしまうかも**しれません。**相手との関係性がこじれて、かえって物事が進みづらくなる**ことだってあるんじゃないですか？」

「まぁ、おいらはあまり人に嫌われるかどうかは気にはならないんですが…。かえってこじれるのではというのは一理あるかもしれません。だからこそ、めったにやるもんじゃないんです。一部の例外を除けば『**論破しようとする時点で二流**』といえるかもしれません。おいらはよく、**セラピスト**の例えを出すんですがね…。哲学マニアさんは、優秀なセラピストってどんな人だと思います？」

「セラピスト？　急な話ですね…。まぁ、親身になって処置してくれるとか、そんな感じじゃないでしょうか。」

「そう、多くの人は『毎回親身に相談に乗って悪い所を指摘し、それを治す方法を示す人』――みたいな回答だと思います。でもおいらは、本当に優秀なセラピストというのは『**お客さんも気づかないうちにいつの間にか処置をしていて、まるで本人は、最初からなんともなかったかのように思わせてしまう人**』だと思うんです。」

「それが今回の話とどのように関係するのでしょうか？」

「つまりですね、議論も同じなんですよ。正面切って批判するのではなく、**自分のもっていきたい方向につながるよう、相手に必要な情報と判断基準をこっそり提供しておく**んです。それで、**あたかも相手が『自分からその結論に気づいた』かのように思わせてしまう**――これが最も綺麗な方法ですね。」

「それは確かにいいかも…。でもある意味、『論破というのはやたらやるべきではない』というのは共通見解のようですね。」

実況　「『論破』は、使いどころに注意が必要そうですね。」

解説　「そうですね。確かに『相手を、自分で気づいたかのように誘導する』ということができれば、一番いいのかもしれません。ひろゆきさんのマネばかりしたがる人は、気をつけるとよさそうですね。」

ROUND 2 JUDGE!

ROUND 3 START!

「やや視野を広げて、『論破』ブームが社会に与える影響についても指摘したいと思います。というのは、**みなが否定的なモノの見方をすることで、社会に分断が起こるのでは？　という人もいると思う**のです。哲学者ヤスパースも、「**お互いを認めることで相互理解が深まる**」（実存的交わり）と述べています。そういった意味で、論破は危惧される面もあるかもしれません。」

☑ **KEYWORD　実存的交わり**

ドイツの哲学者ヤスパース（1883〜1969）は「**お互いの実存を認めて、包み隠さず腹を割って話し合うことで相互理解がされる**」と述べた。自己の独自性を保ちつつ、人間相互の関係を「愛しながらの戦い」を通じて理解していくことの重要性を説いた。

「確かにそういう一面はあるかと思うんですが、そもそも**それを、そこまで過剰に恐れる必要があるのかな…**とも思います。」

「というと？」

「日本人は『**正しいことは多数決で決まる**』とか『**みんながやっていることが正しい**』という風に思いがちだと思うんですが、それはおそらく教育が影響していると思うんです。学校ではとにかく『**周りと協調してルールに則ること**』が重視されがちだと思うのですが、これはおそらく、『**学校側が生徒を管理しやすいから**』だと思います。そういう意味では、**周りに流されすぎず、もう少し批判的な考えをもってもいい**と思うのです。こういう主張をしている哲学者の方もいるんじゃないですかね？」

「フランスの哲学者のフーコーは、ちょっと変わった人を区別し差別化するような権力の仕組みを批判しましたね。同調圧力もこういったところから生まれてくるのかもしれません。」

☑ KEYWORD　理性と非理性

フーコー（1926～1984）によると**「狂気」「異常」を排除して巧みに管理・統制する近代理性による権力構造**を指摘した。非理性的なモノは理性的なモノによって排除され、権力に従順な主体が形成されていく。

「哲学者って偏屈な人も多いですけど、だからこそ、『今当たり前と思われていること』『今みんなが守っているルール』を疑い、新しい価値を示すことができるんだと思うんですよ。」

「なるほど…。哲学の歴史も、それまでの哲学者の考え方を新たな哲学者が疑いながら成長してきた…みたいなところがあるかもしれません。」

「まぁでも、日常生活でやたらと論破してまわるのは、おすすめしませんよ。」

実況「なるほど…。周りの目を気にしすぎて、意見をいわないのも発展性がないですからね。」

解説「そうですね。本書でも現代人と哲学者は常にディベートしあってきたわけですが、我々ももう少しだけ、『当たり前』を疑って、自分自身の頭で考えてみるといいのかもしれません。ただ、『論破』のやりすぎには注意が必要そうですね。」

ROUND 3 JUDGE!

みなさんは、どう思いますか？

Fin

［著］富増章成

1960年生まれ。中央大学文学部哲学科を卒業後、上智大学神学部に社会人入学。代々木ゼミナール、東進ハイスクール、駿台予備学校（篠崎武名義）、河合塾を歴任し、倫理・日本史などを担当。難解なことをわかりやすく伝える予備校の手法を用いて著作に励んでいる。著書『読破できない難解な本がわかる本』（ダイヤモンド社）、『図解でわかる！ニーチェの考え方』（KADOKAWA）、『眠れないほどおもしろい地獄の世界（王様文庫）』（三笠書房）、『この世界を生きる哲学大全』（CCC メディアハウス ）など多数。

参考資料

プラトン（著），田中美知太郎（責任編集）『世界の名著 6 プラトン 1』（中公バックス）中央公論新社
アリストテレス（著），田中美知太郎（翻訳）『世界の名著 8 アリストテレス』（中公バックス）中央公論新社
デカルト（著），大河内一男ほか（編），野田又夫（責任編集）『世界の名著 27 デカルト』（中公バックス）中央公論新社
ヘーゲル（著），岩崎武雄（編）『世界の名著 35 ヘーゲル 精神現象学序論，法の哲学』中央公論新社
キルケゴール（著），桝田啓三郎（責任編集）『世界の名著 51 キルケゴール』（中公バックス）中央公論新社
ニーチェ（著），手塚富雄（責任編集）『世界の名著 57 ニーチェ』（中公バックス）中央公論新社
魚津郁夫（著）『プラグマティズムと現代』（放送大学教材）放送大学教育振興会
アラン（著），神谷幹夫（翻訳）『幸福論』（岩波文庫）岩波書店
ジョージ・バークリ（著），大槻春彦（翻訳）『人知原理論』（岩波文庫）岩波書店
ヘーゲル（著），長谷川宏（翻訳）『歴史哲学講義（上）（下）』（岩波文庫）岩波書店
木田元（編著）『ハイデガー『存在と時間』の構築』（岩波現代文庫 学術）岩波書店
多木浩二（著）『ベンヤミン「複製技術時代の芸術作品」精読』（岩波現代文庫 学術）岩波書店
ジャン・ボードリヤール（著），今村仁司（翻訳），塚原史（訳）『消費社会の神話と構造』普及版 紀伊國屋書店
マイケル・サンデル（著），鬼澤忍（翻訳）『これからの「正義」の話をしよう いまを生き延びるための哲学』早川書房
都留重人（著）『人類の知的遺産 50 マルクス』講談社
久米博（著）『現代フランス哲学』（ワードマップ）新曜社
渡辺義雄（編）『立体哲学』朝日出版社
クセノフォン（著），相澤康隆（翻訳）『ソクラテスの思い出』（光文社古典新訳文庫）光文社
仲正昌樹（著），日本放送協会（編集），NHK 出版（編集）『ハンナ・アーレント『全体主義の起原』不安が求める強い「しるべ」』（NHK テキスト 100 分 de 名著）NHK 出版
『高等学校 現代倫理』清水書院
村田尋如（監修），江尻憲昭（編集），佐藤克宣（編集），高谷康博（編集），横山茂（編集），渡辺祥介（編集）他
『倫理資料集 ソフィエ ～智を学び夢を育む～ 新訂第 2 版』清水書院
山口裕之（著）『「みんな違ってみんないい」のか？ 相対主義と普遍主義の問題』（ちくまプリマー新書）筑摩書房
そのほか ABEMA Prime、ひろゆき氏の各種配信・書籍など

STAFF

イラスト	岡田 丈
デザイン	國枝達也
編 集	木村 叡
販 売	山本千穂里　遠藤勇也
データ作成	株式会社ループスプロダクション
校正	岩佐陸生　伊東道郎　株式会社東京出版サービスセンター
印 刷	株式会社リーブルテック

①